KU-197-735

Tóth Pál–Czeglédi Zsolt

Magyarország gyöngyszemei

T•K•K

Felelős kiadó: TÓTH KÖNYVKERESKEDÉS ÉS KIADÓ KFT.

Felelős vezető: *Tóth Csaba*

Műszaki vezető: *Juhász Valéria*

Képfeldolgozás: *Teichmann Farkas* / T•K•K

Borítóterv: *Győri Attila* / T•K•K

Tipográfia, tördelés: *Juhász Valéria* / T•K•K

Angol fordító: *George Seel*

Német fordító: *Hug Anna*

ISBN 963 5961 61 8

Munkaszám: 0791

TÓTH KÖNYVKERESKEDÉS ÉS KIADÓ KFT.
Cím: 4034 Debrecen, Huszár Gál u. 31-33.
Telefon: (06 52) 450-861, (06 52) 450-862, (06 30) 9358-569
E-mail: tkk@tkk.hu
Honlap: www.tkk.hu

Rendelésfelvétel:
Cím: 4013 Debrecen, Pf. 10
Telefon: (06 52) 472-067; (06 52) 471-179
Fax: (06 52) 472-066
E-mail: nagyker@tkk.hu

A könyv a Magyar Villamos Művek Rt. támogatásával jelent meg.

A könyv az FHB Földhitel- és Jelzálogbank Rt. támogatásával jelent meg.

Die Perlen Ungarns
Pearls of Hungary

Tartalomjegyzék

Névmutató

BÉCS
POZSONY
Balassagy
Vác
Esztergom
Visegrád
Szentendre
Sopron
Fertőd
Nagycenk
GYŐR
Tata
Zsámbék
BUDAPES
Pannonhalma
Kőszeg
Pápa
Szombathely
Sárvár
Ják
Zirc
SZÉKESFEHÉRVÁR
Herend
VESZPRÉM
Sümeg
Balatonfüred
Tihany
Tapolca
Hévíz
Keszthely
Kiskőrös
Kalocsa
Szekszárd
Baja
PÉCS
Szigetvár
Siklós

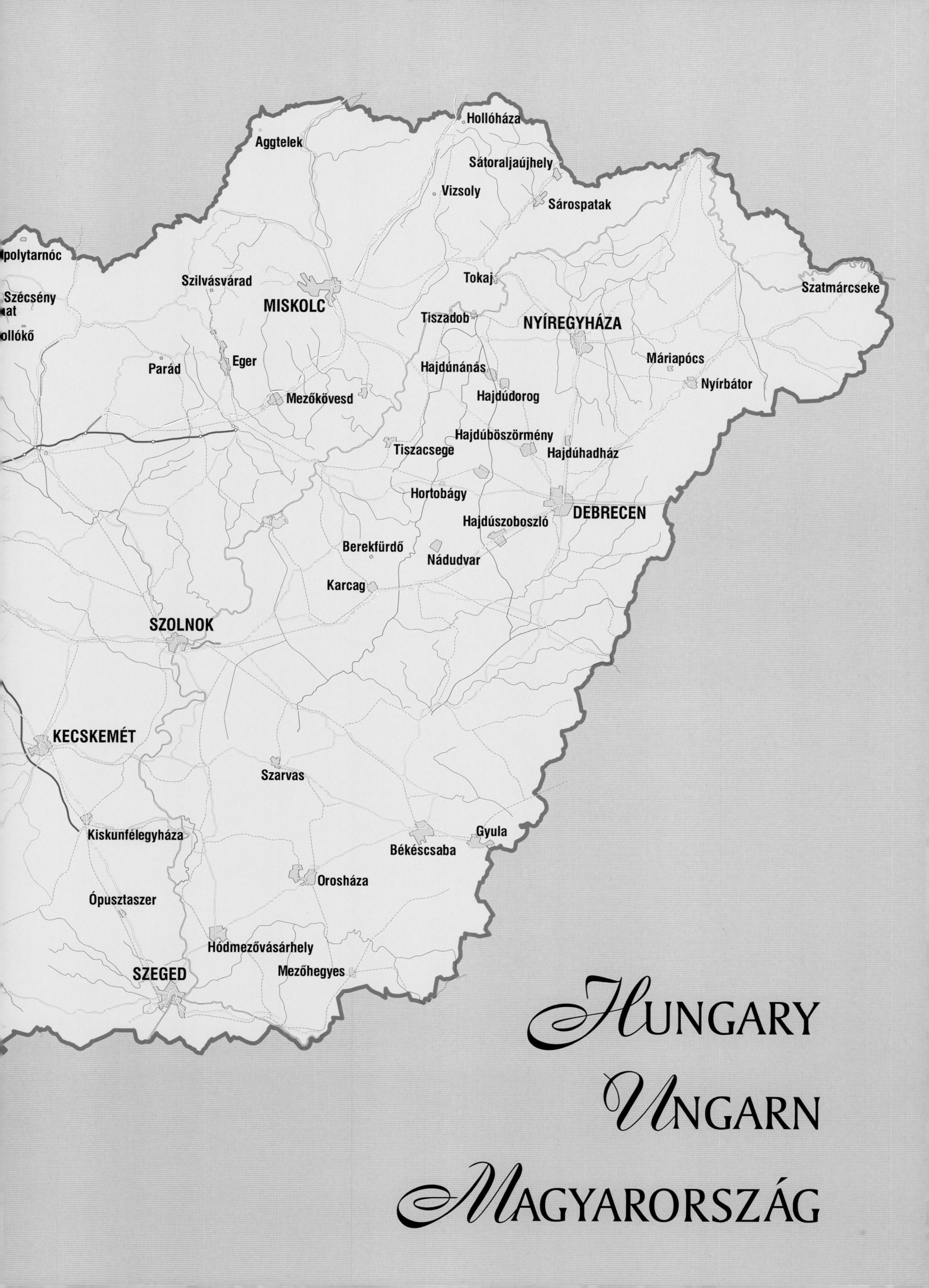

Hollóháza
Aggtelek
Sátoraljaújhely
Vizsoly
Sárospatak
Szilvásvárad
Tokaj
Szécsény
Szatmárcseke
MISKOLC
Tiszadob
NYÍREGYHÁZA
Eger
Máriapócs
Parád
Hajdúnánás
Nyírbátor
Hajdúdorog
Mezőkövesd
Hajdúböszörmény
Tiszacsege
Hajdúhadház
Hortobágy
Hajdúszoboszló
DEBRECEN
Berekfürdő
Nádudvar
Karcag
SZOLNOK
KECSKEMÉT
Szarvas
Gyula
Kiskunfélegyháza
Békéscsaba
Orosháza
Ópusztaszer
Hódmezővásárhely
SZEGED
Mezőhegyes
HUNGARY
UNGARN
MAGYARORSZÁG

BUDAPEST – BUDAI KIRÁLYI PALOTA

10–11

Az első palotát a 14. század első felében Károly Róbert kisebbik fia, Anjou István herceg építtette. Ez a Várhegy legdélibb sarkán álló öregtoronyból és palotaszárnyból állt. Nagy Lajos itt új uralkodói székhely építését kezdte meg. Zsigmond király hatalmas, L alakú épületet építtetett gótikus stílusban, a benne lévő díszterem 17×70 méter alapterületű volt. Mátyás király reneszánsz stílusban bővítette a palotát. A törökök kifosztották. A királyi palotába 1541–1686 között még a budai pasa sem költözött be. Az épületek kaszárnya, lőpor- és fegyverraktár célját szolgálták. A felszabadító ostromok és a lőporrobbanások szinte teljesen romba döntötték azokat.

III. Károly és Mária Terézia uralkodása alatt 1719-re felépült a máig is álló legdélibb szárnya, majd 1741–48 között ettől északabbra épült fel két palotaszárny Jan Nicolas Jadot és Franz Anton Hillebrandt tervei szerint. A hatalmas barokk palotában a királynő 40 éves uralkodása alatt csak egyszer szállt meg. 1772-ben egy részét az angolkisasszonyoknak, majd 1777-ben a fővárosba költözött nagyszombati egyetemnek engedte át. A 18. század végétől a palota a Habsburg-ház nádorainak a rezidenciája lett. 1849-ben az ostrom során a nádori palota egy része kiégett.

1874-ben Ybl Miklós kapott megbízást a palota bővítésére. Ybl, majd a művét befejező Hauszmann Alajos a palotától északabbra fekvő területen megépítette a barokk palota alaprajzának megfelelően (3). A két szárnyat egy kupolával koronázott kolonáddal kötötte össze (1). A II. világháborúban a palota nagy része teljesen kiégett. A helyreállítás során igyekeztek a barokk arculatot megtartani. Az 1958-as döntés szerint kulturális központtá építették ki, belső részeit modernizálták. A palota szárnyaiban a Magyar Nemzeti Galéria (7; 8), a Budapest Történeti Múzeum, az Országos Széchényi Könyvtár, a Ludwig-gyűjtemény, a Legújabbkori Történeti Múzeum működik.

A főhomlokzat előtti téren áll 1897 óta Savoyai Jenő herceg, a Budát visszafoglaló keresztény seregek vezérének lovas szobra (2), Róna József alkotása.

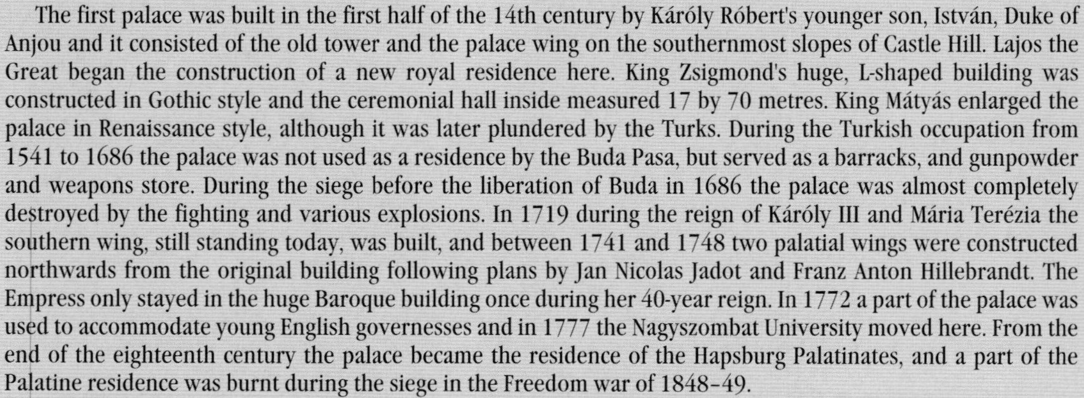

The first palace was built in the first half of the 14th century by Károly Róbert's younger son, István, Duke of Anjou and it consisted of the old tower and the palace wing on the southernmost slopes of Castle Hill. Lajos the Great began the construction of a new royal residence here. King Zsigmond's huge, L-shaped building was constructed in Gothic style and the ceremonial hall inside measured 17 by 70 metres. King Mátyás enlarged the palace in Renaissance style, although it was later plundered by the Turks. During the Turkish occupation from 1541 to 1686 the palace was not used as a residence by the Buda Pasa, but served as a barracks, and gunpowder and weapons store. During the siege before the liberation of Buda in 1686 the palace was almost completely destroyed by the fighting and various explosions. In 1719 during the reign of Károly III and Mária Terézia the southern wing, still standing today, was built, and between 1741 and 1748 two palatial wings were constructed northwards from the original building following plans by Jan Nicolas Jadot and Franz Anton Hillebrandt. The Empress only stayed in the huge Baroque building once during her 40-year reign. In 1772 a part of the palace was used to accommodate young English governesses and in 1777 the Nagyszombat University moved here. From the end of the eighteenth century the palace became the residence of the Hapsburg Palatinates, and a part of the Palatine residence was burnt during the siege in the Freedom war of 1848–49.

In 1874 Miklós Ybl was commissioned to enlarge the palace. First Ybl, and then Alajos Hauszmann who completed the work, extended the palace northwards, following the style of the original ground-plan. The two wings were joined by a colonnade surmounted by a dome. The palace was almost completely burnt out during the Second World War. After the war the building was renovated in keeping with its original Baroque style, and in 1958 it was decided to convert it into a cultural centre with a thoroughly modernised interior. In the wings of the palace are housed the Hungarian National Gallery, the Budapest History Museum, the National Széchenyi Library, the Ludwig collection and the Museum of Contemporary History.

In the square in front of the main facade stands the mounted statue by József Róna of Count Jenő Savoyai, the leader of the Christian armies which recaptured the city from the Turks.

Den ersten Palast aus dem 14. Jh. hat der kleinere Sohn von Róbert Károly, Prinz István Anjou an das Südende des Burgbergs bauen lassen, er bestand aus Altturm und Palastflügel. Lajos d. Große begann hier mit dem Bau einer neuen Residenz. König Zsigmond baute hier einen riesigen L-förmigen Palast im gotischen Stil mit einem 17×70 m großen Prunksaal. König Mátyás lies den Palast im Renaissancestil erweitern. Die Türken plünderten ihn aus und benutzten ihn 1541–1686 als Kaserne, Pulver- und Waffenlager. Beim Befreiungskampf wurden die Palastanlagen fast völlig zerstört.

Der bis heute stehende Südflügel wurde bis 1719, während der Regierungszeit von Károly III. und Mária Terézia, erbaut. Zwischen 1741–48 wurden die zwei nördlichen Palastflügel nach Plänen von Jan Nicolas Jadot und Franz Anton Hillebrandt angebaut. In dem riesigen Barockpalast hat die Königin während ihrer 40 jährigen Regentschaft nur einmal genächtigt. 1772 widmete sie einen Teil des Palastes dem Orden der Englischen Fräulein und 1777 stellte sie der Universität von Nagyszombat, welche nach Buda umzog, den Palast zur Verfügung. Ab dem Ende des 18. Jh. diente er den Palatinen der Habsburger als Residenz. Während der Revolution 1849 brannte ein Teil des Palatinerpalastes ab.

Miklós Ybl bekam 1874 den Auftrag zur Erweiterung des Palastes. Ybl und der sein Werk beendende Alajos Hauszmann hat, mit dem Grundriß des Barockpalastes, den nördlichen Palast gebaut. Die beiden Palastflügel hat er mit einer kuppelüberdachten Kolonnade verbunden. Im 2. Weltkrieg ist ein Grossteil des Palastes ausgebrannt. Bei den Renovierungs-arbeiten versuchte man die barocken Stilelemente zu erhalten. Nach dem Beschluß von 1958 wurde er zur Kulturstätte ausgebaut und innen modernisiert. Im Palast befinden sich das Budapester Geschichtsmuseum, die Ungarische Nationalgalerie, die staatliche Széchenyi-Bibliothek, die Ludwig-Sammlung und das Neuzeitliche Geschichtsmuseum.

Auf dem Platz vor dem Haupteingang steht seit 1897 das Reiterstandbild des Prinzen zu Savoyen, dem Anführer des Befreiungsheeres gegen die Türken, ein Werk des József Róna.

1

2

3
4
5
MDCCCVI

6

7

8

Budapest – Dohány utcai zsinagóga

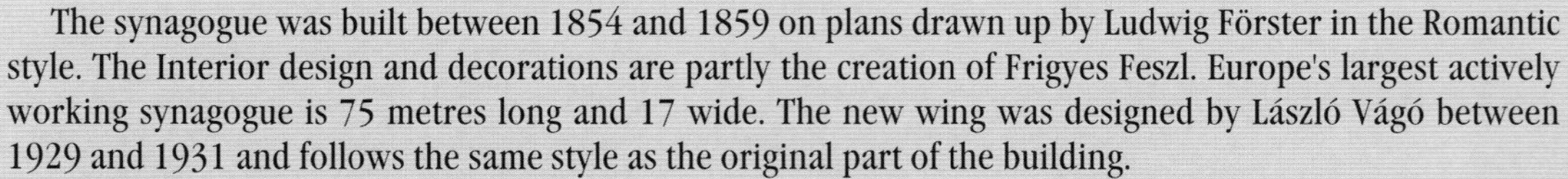

A zsinagóga 1854–59 között épült Ludwig Förster tervei szerint, romantikus stílusban. Belső díszítése és berendezése egy részét Feszl Frigyes tervei alapján készítették. Európa legnagyobb működő zsinagógája, 75 méter hosszú és 17 méter széles. Az új szárnyát Vágó László tervezte, 1929–31 között építették a régi épület stílusához hasonlóan.

A csarnoktemplom háromhajós, belseje két oldalán vasoszlopok tartják a kétemeletes karzatát. 3000 ülőhelyével a világ második legnagyobb zsinagógája. Keleti fala közepén nyílik a frigyszekrény. Az orgonát a Rieger cég készítette 1930-ban. Berendezései közül kiemelkednek a szószékek, a 12 ágú kandeláber és az egy gombnyomásra szószékké alakítható előimádkozó pulpitus, a sulhan. Az első emeletén működik a Zsidó Múzeum, ami a római kortól mutatja be a magyar zsidók történeti és művészeti emlékeit. A kertben Varga Imre alkotása, a Magyar Zsidó Mártírok emlékműve (1991) látható.

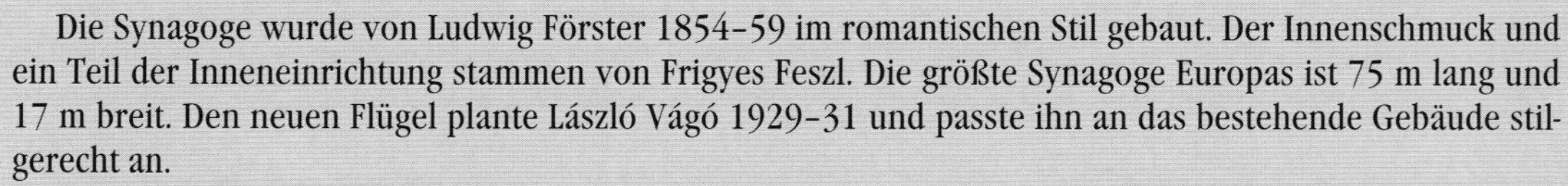

The synagogue was built between 1854 and 1859 on plans drawn up by Ludwig Förster in the Romantic style. The Interior design and decorations are partly the creation of Frigyes Feszl. Europe's largest actively working synagogue is 75 metres long and 17 wide. The new wing was designed by László Vágó between 1929 and 1931 and follows the same style as the original part of the building.

The main central section of the building has a three-aisled plan and on the two sides iron columns support a two-storey gallery. The synagogue can seat 3000 people and is the second largest in the world. In the middle of the eastern wall is the Ark of the Covenant. The organ was built by the Rieger company in 1930. Also notable are the 12-branched candelabra, the pulpit and the sulhan, a pulpit for leading the prayers which is operated by pressing a button. On the first floor is the Jewish Museum which shows Jewish history and art from the Roman period onwards. The garden, which is the work of Imre Varga, contains the Jewish Martyrs Memorial set up in 1991.

Die Synagoge wurde von Ludwig Förster 1854–59 im romantischen Stil gebaut. Der Innenschmuck und ein Teil der Inneneinrichtung stammen von Frigyes Feszl. Die größte Synagoge Europas ist 75 m lang und 17 m breit. Den neuen Flügel plante László Vágó 1929–31 und passte ihn an das bestehende Gebäude stilgerecht an.

Die Hallenkirche ist dreischiffig, eiserne Säulen tragen die doppelstöckigen Seitengalerien. Mit ihren 3000 Sitzplätzen ist sie die zweitgrößte Synagoge der Welt. In der Mitte der Ostwand ist die Bundeslade. Die Orgel baute die Fabrik Rieger 1930. Aus der Inneneinrichtung ragen hervor die Predigtstühle, die 12 armigen Kandelaber und das Pult des Vorbeters, der Sulhan, das auf Knopfdruck zum Predigtstuhl gewandelt wird. Im ersten Stock ist das jüdische Museum, das die Geschichte und Kunst der Juden seit der Römerzeit zeigt. Im Garten ist ein Denkmal der ungarisch jüdischen Märtyrer von Imre Varga (1991).

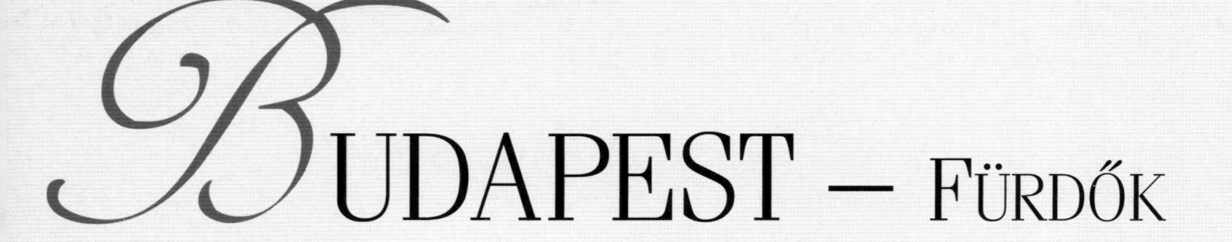

BUDAPEST – FÜRDŐK

A Császár-fürdő (3) egy része török kori fürdőépület, 16. századi. A mai épület műemlék, Hild József tervezte klasszicista stílusban.

A Király-fürdő (1) török kori részét Arszlán és Szokoli Musztafa pasa építtette 1566–70-ben. Klasszicista épületrészét Schmidt Mátyás tervei alapján 1826-ban emelték. 1796-tól Kőnig Ferenc és családja birtokolta. Elnevezése a család nevének a magyar fordítása. Közelében meleg forrás nincs, a törökök a Veli bég-fürdő (most Császár-fürdő) vizét vörösfenyő- és agyagcsöveken vezették ide, most a Lukács-fürdőből táplálják.

A Gellérthegy alatt épült a Gellért Szálloda és Gyógyfürdő (4) az itt fakadó gyógyvizeket felhasználó középkori Sáros-fürdő, majd a török kori utóda helyén 1911–18 között. A hotel egyesíti a fényűző szálloda és gyógyfürdő funkcióit. A 27–48 °C-os, elsősorban reumás és ízületi bántalmak gyógyítására alkalmas forrásvizet kád- és medencefürdőkben hasznosítják.

A Széchenyi Gyógy- és Strandfürdő (2) Európa legnagyobb gyógyfürdője. Az épületet Czigler Győző és Dvorzsák Ede tervei szerint építették 1909–13 között, 1926-ban szabadtéri medencékkel és új épületszárnyakkal bővítették. Homlokzatát és belsejét szobrokkal, üvegmozaikokkal díszítették. A fürdőt Zsigmondy Vilmos bányamérnök által 1878-ban 970 m-es mélyfúrással feltárt termálvíz felhasználására építették. 1936-ban 1257 m-es mélyfúrással 75 °C-os, kénes, meszes, karbonátos vizet tártak fel, amit reumatikus betegségek gyógyítására használnak. Ez a főváros legmelegebb termálvize, olyan bőségben tör fel, hogy a Szabadság-, a Dandár- és az Újpesti fürdőt is ellátja vízzel.

The Imperial Baths are partly built from a Turkish bath dating from the 16th century. Today's building is a protected building, designed by József Hild in the Classical style.

The Turkish sections of the King Baths were built between 1566 and 1570 by Arslan and Sokoli Mustafa. The Classical part of the building was completed in 1826, on plans by Mátyás Schmidt. The baths were the property of Ferenc König and his family from 1796, and the baths take their name from the Hungarian translation of the family name König (King). There is no source of warm water in the vicinity, the Turks bringing the water from the Veli Beg spring (now the Imperial Spring) in red-pine and clay pipes. Now the baths are supplied from the Lúkács spring.

The Gellért Hotel and Medicinal Baths were built below the Gellért hill between 1911 and 1918, and use spring water rising from the site of the medieval Sáros Baths (later used by the Turks). The hotel combines the functions of a luxury hotel and a medicinal spa. The water, which ranges in temperature from 27 to 48 °C supplies both large and small baths and pools and is used primarily for the treatment of rheumatism and muscular pains.

The Széchenyi Medicinal and Pleasure Baths are the largest of their type in Europe. The building was designed by Győző Czigler and Ede Dvorzák and built between 1909 and 1913. In 1926 it was enlarged by the addition of an outside pool and a new wing. The facade and interior are decorated with statues and glass mosaics. The baths use thermal water supplied by a well sunk 970 metres down, constructed by the mining engineer Vilmos Zsigmond in 1878. In 1936 75 °C sulphuric, lime and carbonate water was pumped up from 1257 metres below ground, and is used to treat rheumatism. This is the hottest thermal water in the city, and flows up so freely that it is used to supply the Szábadság-, the Dandár- and the Újpest- baths as well.

Ein Teil des Kaiserbades stammt aus der Türkenzeit des 16. Jh. Das heutige Gebäude ist ein Kulturdenkmal, József Hild hat es im klassizistischen Stil geplant.

Den türkischen Teil des Königbades haben die Paschas Arszlán und Szokoli Mustafa 1566–70 erbaut. Der klassizistische Gebäudeteil wurde nach Plänen von Mátyás Schmidt 1826 angebaut. Ab 1796 kam es in den Besitz der Familie Ferenc König und deren Name ergab im ungarischen das „Király" Bad. Weil in seiner Nähe keine Quelle war, hatten die Türken das Wasser in Rotfichten- und Tonröhren vom Veli bég-Fürdö (jetziges Kaiserbad) hergeleitet. Heute wird es vom Lukács Bad gespeist.

Unterhalb des Gellértberges wurde 1911–18 das Hotel und Heilbad Gellért gebaut. Es benützt das schon zur Türkenzeit bekannte und im Mittelalter verwendete Heilwasser des Sáros-Bades. Das Hotel vereinigt Luxus mit Heilung. Die Badekuren für Rheuma und Ge-lenkserkrankungen werden in Wannen- und Beckenbädern mit 27–48 °C warmen Wasser verabreicht.

Das Széchenyi-Strand- und Heilbad ist das Größte in Europa. Das Gebäude wurde nach Plänen von Győző Czigler und Ede Dvorzsák von 1909–13 gebaut. Es wurde 1926 mit Außenbecken und neuem Gebäudeflügel erweitert. Der Giebel und die Innenräume wurden mit Statuen und Glasmosaiken verziert. Das Bad verwendete das Heilwasser aus 970 m tiefe, das durch eine Bohrung des Bergingenieurs Vilmos Zsigmondy 1878 erschlossen wurde. Im Jahre 1936 erfolgte eine weitere Bohrung bis 1257 m, die 75 °C heißes Schwefel- Kalk- und Karbonat- haltiges Wasser hervorbrachte, das zur Heilung von rheumatischen Erkrankungen verwendet wird. Dies ist die heißeste Quelle Budapests und sie sprudelt so reichlich, dass damit auch die Bäder Szabadság-, Dandár-, und Újpesti versorgt werden.

GELLÉRT

BUDAPEST – GELLÉRTHEGY

A Duna szintjétől csak 135 méter magas Gellérthegy (1) barlangjai lakhelyül szolgáltak a Krisztus előtti évszázadokban az eraviszkuszoknak. Feltételezhető, hogy a mai Citadella (5) helyén állt egy kis erődjük. A rómaiak idején a hegyen volt egy kis őrtorony is. A legenda szerint a velencei származású Gellért püspököt, Szent Imre nevelőjét 1046-ban szöges hordóba zárva legurították a pogányok a hegy tetejéről. Szent Gellért püspök szobra (4) a hegy Dunára néző oldalán áll, mögötte oszlopcsarnokkal.

Már az ókorban is ismert, gyógyhatású melegvízforrásai ma is a Gellért-, a Rudas- és a Rác-fürdőt táplálják. A Citadellát az 1848–49-es szabadságharc leverése után a bécsi udvar erődként és börtönként emelte 1850–54 között a magyarok féken tartására. Az 1867-es kiegyezés után veszített katonai jelentőségéből. Ma szálloda, étterem, presszó működik benne. A Szabadság-szobrot (2) 1946-ban alkotta Kisfaludy Strobl Zsigmond, a 11 méter magas nőalak a béke pálmaágát tartja a kezében. Mellékalakját, a szovjet katonaszobrot 1991-ben a szoborparkba vitték.

Rising 135 metres from the level of the Danube, Gellért Hill has caves which were inhabited in the centuries before Christ by the Eraviscus Celto-illirian tribe. It is possible that there was a small fort on the site of today's Citadel. In Roman times there was a small guard tower on the hill. According to legend in 1046 Bishop Gellért, who originally came from Venice and was St. Imre's tutor, was nailed into a barrel and rolled down from the top of the hill by the pagans. St. Gellért's statue today stands on the side of the hill overlooking the Danube and behind it is a line of columns.

Even in ancient times the medicinal power of the warm water springs on the hill was well-known, and today this water flows from the Gellért-, Rudas- and Rác Springs. Following the 1848–49 Freedom War, the Citadel was used by the Hapsburg court in Vienna as a fortress and a prison from 1850 to 1854, to keep the Hungarians under control. With the Settlement of 1867, the Citadel lost its military importance, and today it is a hotel, a restaurant and a cafe. The Freedom Statue was erected in 1946 by Zsigmond Kisfaludy Strobl. The 11 metre tall female form carries the palm leaves of peace in her hands. The Soviet military statues, which stood to one side, were taken to the Statue Park in 1991.

Die Höhlen des 135m über die Donau ragenden Gellértberges dienten bereits den Kelten als Wohnstätte. Die Römer errichteten darauf einen Wehrturm. Der Legende nach haben die Heiden den venezianischen Bischof Gellért, den Erzieher des Imre, im Jahre 1046 in ein Faß mit Nägel gesteckt und ihn den Berg hinabgerollt. Die Statue des St. Gellért steht vor einer Säulenhalle am Berghang mit Blick zur Donau.

Die schon im Mittelalter bekannten Thermalquellen versorgen die Bäder Gellért, Rudas und Rác. Die Citadelle wurde vom Wiener Hof nach der Niederschlagung des Freiheits-kampfes 1848–49 als Wehr und Gefängnis gebaut, zwischen 1850-54 diente sie der Unter-drückung der Ungarn. Nach dem Ausgleich 1867 verlor sie ihre militärische Bedeutung. Heute befindet sich dort ein Hotel. Die Freiheitsstatue wurde 1946 von Zsigmond Kisfaludy Strobl geschaffen. Die 11m hohe Frauengestalt hält den Palmenzweig des Friedens in ihrer Hand. Die Nebenfigur, ein sowjetischer Soldat, wurde 1991 in den Statuenpark umgesetzt.

2

1

3

4
5
SOUVENIR

BUDAPEST – HALÁSZBÁSTYA

A Mátyás-templom mellett 1895–1902 között épült neoromán stílusban Schulek Frigyes tervei szerint. Ő volt az építésvezetője is. Schulek Frigyest az vezérelte, hogy az újjáépített Nagyboldogasszony-templomnak méltó környezetet adjon, védelmi célokat sohasem szolgált.

A középkorban a budai vár falának ezt a szakaszát a budai halászok céhe védte, ezért nevezték el az akkori idegenforgalmi vonzerőt Halászbástyának. Ez a fehér mészkőből épült toronyegyüttes ma is meghatározza a budapesti városképet. A hagyomány szerint a hét torony a honfoglaló hét törzset, sátorszerű tetejük azok vezetőinek sátrát jelképezi. A hajdani Híradás-torony helyén épült északi nagy toronyhoz íves lépcső vezet két oldalán Álmos és Előd vezérek szobraival.

Az eredetileg Schulek tervezte nemzeti panteon helyén 1906-ban leplezték le a Stróbl Alajos mintázta Szent István lovas szobrot. A Schulek tervezte talapzat négy oldalát Szent István életéből vett jeleneteket ábrázoló domborművek díszítik.

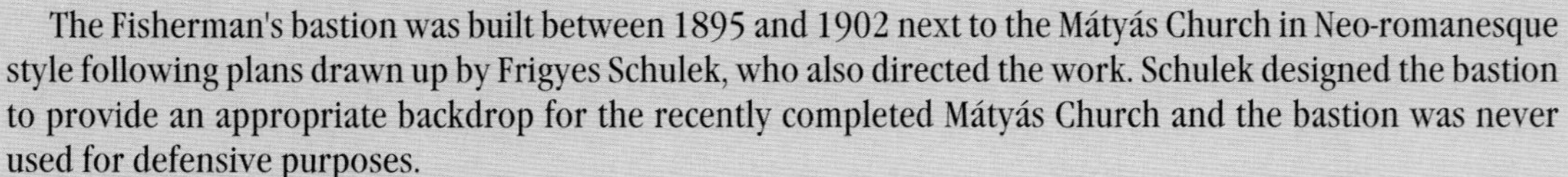

The Fisherman's bastion was built between 1895 and 1902 next to the Mátyás Church in Neo-romanesque style following plans drawn up by Frigyes Schulek, who also directed the work. Schulek designed the bastion to provide an appropriate backdrop for the recently completed Mátyás Church and the bastion was never used for defensive purposes.

In the Middle Ages, the defence of this section of the walls of Buda castle was the responsibility of the Fisherman's Guild, and this explains how today's attractive tourist destination got its name. The collection of towers, built of white limestone, today defines the landscape of Budapest. According to tradition, the seven towers represent the seven tribes that settled in Hungary, the tent-like roofs evoking the tents of the seven tribal chieftains. An arched stairway leads to the large northern tower, which was built on the site of the former Tower of the Heralds. On either side stand statues of the chieftains Álmos and Előd.

A mounted statute of St. István by Alois Stróbl was unveiled in 1906 on the site originally designated for the National Pantheon designed by Schulek. The four sides of the plinth designed by Schulek feature reliefs depicting scenes from the life of St. István.

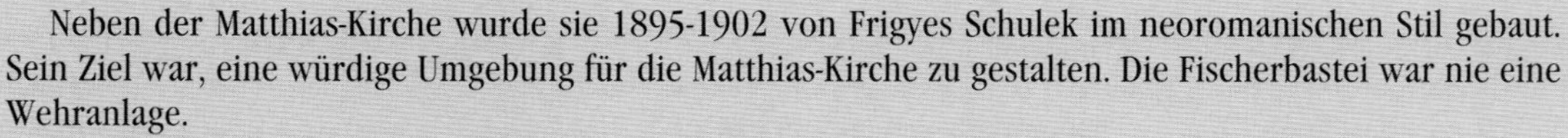

Neben der Matthias-Kirche wurde sie 1895-1902 von Frigyes Schulek im neoromanischen Stil gebaut. Sein Ziel war, eine würdige Umgebung für die Matthias-Kirche zu gestalten. Die Fischerbastei war nie eine Wehranlage.

Im Mittelalter war dieses Stück der Burgwand in der Obhut der Fischerzunft, daher der Name dieser Touristenattraktion. Die aus weißem Kalkstein errichtete Burgmauer prägt das Budapester Stadtbild. Nach der Sage symbolisieren die sieben Türme, die sieben Stämme der Eroberer und die zeltförmigen Dächer, die Jurten der Stammesführer. Zum nördlichen großen Turm, der an der Stelle des Signalturmes steht, führen geschwungene Treppen, an deren Seiten die Statuen der Stammesführer Álmos und Előd stehen.

An Stelle des von Schulek geplanten Nationalpantheons, wurde 1906 die von Alajos Stróbl gegossene Pferdestatue des St. Stephan aufgestellt. Die vier Seiten des ursprünglichen Sockels verzieren Reliefs mit Szenen aus dem Leben des St. Stephan.

EURÓPA

Budapest – Hősök tere

Az Andrássy út folytatásaként épült ki a főváros legnagyobb tere, egyben köztéri szoboregyüttese. A tér 1896–1929 között épült Schickedanz Albert és Herczog Fülöp tervei alapján. Az emlékmű vezetőszobrásza Zala György volt.

A Millenniumi korinthoszi oszlop 36 m magas. Tetején Gábriel arkangyal 5 m magas alakja áll, jobb kezében a Szent Koronát, baljában a kettős keresztet tartja (2). Zala György ezzel a munkájával 1900-ban elnyerte a Párizsi Világkiállítás nagydíját, 1901-ben került a mai helyére. Talapzatán Árpáddal az élen a honfoglaló vezérek lovas szobrát (5) helyezték el. Árpád szobra 1912-ben, a vezéreké csak 1928-ban került ide. 1921-ben, az első világháborúban meghalt magyar katonáknak jelképes sírkövet állítottak. A mai Nemzeti Hősök Emlékkövét 1956 nyarán helyezték el. 1932-ben a Nemzeti Hősök Emlékköve okán nevezték el Hősök terének. Az Ezredéves Emlékmű másik része a félköríves oszlopcsarnok (3; 4) hét királyunk és hét, a függetlenségünkért harcoló történelmi személy szobrával. A teret két oldalán a Szépművészeti Múzeum és a Műcsarnok (1) épülete zárja le.

The largest square in the capital, which contains a fine group of statues, is the continuation of Andrássy Street. The square was built between 1896 and 1929 and was designed by Albert Schickedanz and Fülöp Herczog. The main statue was sculpted by György Zala .

The Millennium column is in Corinthian style and 36 metres high. Surmounting the column is the 5 metre high figure of the Archangel Gabriel holding the Holy Crown in his right hand and the double cross in his left. With this work György Zala won the main prize at the Paris Exhibition of 1900 and the statue was set up in 1901. On the plinth are the statues of the mounted tribal chieftains of the period of the Hungarian settlement, led by Árpád. Árpád's statue was placed here in 1912, while the chieftains arrived in 1928. In 1921 a memorial stone to the Hungarian dead in the First World War was set up here. The current National Heroes Memorial Stone was set up here in the summer of 1956. The square took its name in 1932 from its function as a memorial and the presence of the memorial stone. The other part of the Millennium Memorial is the semi-circular line of columns which show seven kings and seven figures from history who fought for Hungarian independence. The square is closed on both sides by the buildings of the Hall of Arts.

In der Verlängerung der Andrássy Straße ist der größte Platz der Hauptstadt mit dem größten Figurenensemble. Er wurde nach Plänen von Albert Schickedanz und Fülöp Herczog 1896-1929 angelegt. Der leitende Bildhauer war György Zala.

Die korinthische Millenniumssäule ist 36m hoch. Der 5m hohe Erzengel Gabriel hält in seiner rechten die Hl. Krone und in der linken Hand das Doppelkreuz. Das auf der Pariser Weltausstellung 1900 mit einen Großen Preis ausgezeichnete Werk von György Zala wurde 1901 auf seinen jetzigen Platz aufgestellt. Auf dem Sockel stehen die Figuren der sieben Landeroberer mit ihrem Anführer Árpád. Die Statue von Árpád wurde 1912, die anderen erst 1928 aufgestellt. Für die Gefallenen Ungarn des Ersten Weltkrieges wurde 1921 ein Gedenk-stein angelegt. Er gab den Anlass, den Platz 1932 als Heldenplatz zu bezeichnen. Im Sommer 1956 wurde das heutige Nationalhelden-Denkmal aufgestellt. Der andere Teil des Millenniumsdenkmals ist das halbkreisförmige Säulenportal, in dem die sieben Könige und die sieben bedeutenden Personen, die für die Unabhängigkeit Ungarns kämpften, stehen. Der Platz wird an den Seiten von der Kunsthalle und dem Museum für schöne Künste begrenzt.

2

1

Budapest – Iparművészeti Múzeum

A magyaros szecessziós építészeti stílus legszebb darabja az Iparművészeti Múzeum. A Zsolnay-gyár pirogránitjával és majolikájával burkolt épület Lechner Ödön és Pártos Gyula tervei szerint épült 1893–96 között.

A népies magyar kerámiadíszítés mellett iszlám és hindu motívumok is megfigyelhetők rajta. A toronyszerű középrizalitját csipkézett élcserepekkel díszítették, nyolcszögletű kupola zárja le. Az 1872-ben megalakult múzeum bútorgyűjteményében régi magyar, 18. századi francia anyag és értékes hangszergyűjtemény található. A textilosztály közép- és barokk kori egyházi és világi öltözékeket, keleti szőnyegeket, francia és olasz kárpitokat tár a látogatók elé. Az ötvösművészeti kiállításokon a volt Esterházy-kincstár műtárgyaiban, augsburgi és nürnbergi reneszánsz és barokk ezüstkészítményekben is gyönyörködhetünk. A kerámia- és üveggyűjtemény leggazdagabb része a holicsi és tatai fajanszok, a habán edények és a herendi porcelánok anyaga. Nagy élmény az elefántcsont faragványok és a könyvkötések megtekintése.

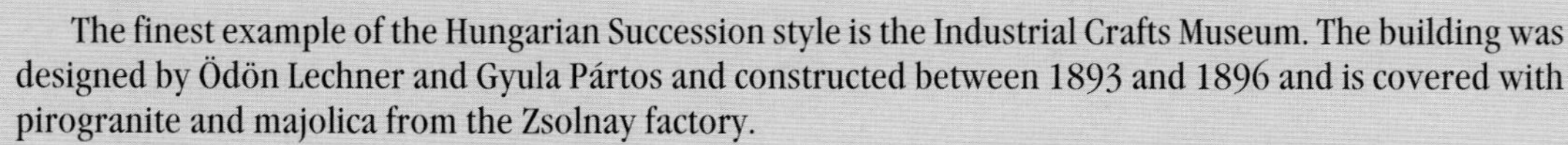

The finest example of the Hungarian Succession style is the Industrial Crafts Museum. The building was designed by Ödön Lechner and Gyula Pártos and constructed between 1893 and 1896 and is covered with pirogranite and majolica from the Zsolnay factory.

The folk style Hungarian ceramic decorations are accompanied by Islamic and Hindu designs. The tower-like central bay with is indented tiles is topped by a hexagonal dome. The Museum, established in 1872, contains a valuable collection of furniture, including old Hungarian and French pieces and musical instruments. The textile section contains Medieval and Baroque ecclesiastical and secular clothing, eastern carpets and French and Italian wall hangings. The jewellery exhibits were part of the Esterházy family's treasury and include fine Renaissance and Baroque silver pieces from Augsburg and Nuremberg. The pride of the ceramic and glass collection are the Fajence pieces from Holics and Tata, dishes typical of the Haban (Swiss-German Anabaptists) and porcelain from Herend. Also worthy of note are the ivory carvings and the book-binding section.

Das Kunstgewerbemuseum ist das schönste Stück des ungarischen Secessionsstils. Gebaut 1893-96 nach Plänen von Ödön Lechner und Gyula Pártos. Es ist mit Pirogranit und Zsolnayer Majolika verkleidet. Die Keramiken sind mit ungarischen Volksmotiven und islamischen und hinduistischen Mustern verziert. Der vorspringende Mittelturm ist mit Dachreitern, in der Art von Brüsseler Spitzen verziert und mit einem achteckigen Kuppel-türmchen abgeschlossen. Die seit 1872 aufgebaute Sammlung birgt wertvolle Musikinstru-mente sowie ungarische und französische Möbel des 18.Jh. Die Textilabteilung zeigt mittelalterliche und barocke kirchliche und bürgerliche Gewänder, orientalische Teppiche, französische und italienische Stoffbezüge. In der Goldschmiedeabteilung können wir uns an Kleinoden der ehemaligen Esterházyer Schatzkammer erfreuen und Gebrauchstücke der Augsburger- und Nürnberger Barock- und Renaissance Zeit sehen. Der wertvollste Teil der Keramik- und Glassammlung sind die Fajancen aus Tata, Holics und der Volkgruppe der Haban, sowie die Porzellane aus Herend. Vergnügen bereitet die Besichtigung der Elfenbeinschnitzerei und der Buchbinderei.

A NEMZETI EPITESZET MESTERE

BUDAPEST – KODÁLY KÖRÖND

Az Andrássy út első szakaszát zárja le a négy díszudvaros (2; 4), ívelt homlokzatú palotával körbevett Kodály körönd. Előttük szép parkok vannak hatalmas platánokkal, vadgesztenyefákkal és egy-egy szoborral.

A teret Kodály Zoltánról, a híres 20. századi zeneszerzőről, a magyar népdalok gyűjtőjéről és feldolgozójáról, a világszerte ismert zenepedagógusról nevezték el. A tér egyik házának első emeletén lakott 1924-től 1967-ig, a haláláig. A lakás 1990 óta emlékmúzeum és zenei archívum. Az épületben lakott a 20. századi neves festő, Barcsay Jenő is. Kodály emlékét a ház falán Vígh Tamás nagyméretű bronz dombormûve hirdeti. A tér négy szobrát eredetileg Ferenc József adományozta a fővárosnak. Azok közül már csak Zrínyi Miklós (6), a 16. századi szigetvári hős szobra áll a téren. Az 1950-es években Bocskai István és Bethlen Gábor erdélyi fejedelmek szobrát átvitték a Hősök terére. Zrínyi szobrán kívül ma Vak Bottyánnak (5), a Rákóczi-szabadságharc tábornokának, Balassi Bálintnak (7), a 16. századi költő és végvári vitéznek, valamint Szondy Györgynek (3), a drégelyi várkapitány szobra áll a köröndön.

The first section of Andrássy Street is completed by the Kodály Circle, which is surrounded by four arched, palatial buildings with courtyards. In front of the buildings there are beautiful gardens with huge plane trees, chestnuts and various statues.

The square is named after Zoltán Kodály, the famous 20th century composer, and collector and arranger of Hungarian folk songs, who was also a world famous music teacher. He lived on the first floor of one of the houses in the square, from 1924 until his death in 1967. Since 1990 his flat has been a memorial museum and a musical archive. The famous 20th century painter Jenő Barcsay also lived in the building. Kodály is celebrated in the large bronze relief by Tamás Vígh on the wall of the house. Originally there were four statues in the square, donated to the city by Franz Joseph. Of these only the statue of Miklós Zrínyi, the 16th century hero of Szigetvár still stands in the square. During the 1950's the statues of István Bocskai and Gábor Bethlen, Princes of Transylvania were moved to Heroes' Square. Apart from the Zrínyi statue the Circle also includes statues of Vak Bottyán, a fieldmarshal in the Rákóczi wars of liberation, Bálint Balassi, the 16th century poet and hero of Végvár and György Szondi, commander of the garrison at Drégely.

Der Innere Teil der Andrássystraße wird abgeschlossen von der Rotunde am Kodály körönd. Dort steht der Stadtpalast mit vier Schmuckhöfen und geschwungenen Giebel. Vor ihm liegt ein schöner Park mit riesigen Platanen, Rosskastanien und Statuen.

Der Platz wird nach Zoltán Kodály benannt, dem weltberühmten Komponisten und Musik-pädagogen der die ungarischen Volkslieder gesammelt und archiviert hat. In einem Haus am Platz lebte er, im ersten Stock, von 1924 bis zu seinem Tod 1967. Die Wohnung dient seit 1990 als Museum und Musikarchiv. In diesem Gebäude lebte auch der berühmte Maler des 20. Jahrhunderts Jenő Barcsay. Das Bronzerelief von Tamás Vígh, an der Hauswand, erinnert an Kodály. Die vier Statuen auf dem Platz waren ein Geschenk, von Franz Josef, an die Hauptstadt. Von den ursprünglichen vier, steht nur noch die Statue von Miklós Zrínyi, dem Helden von Szigetvár aus dem 16.Jh. auf dem Platz. In den 50er Jahren wurden die Statuen der zwei Siebenbürgischen Oberhäupter von István Bocskai und Gábor Bethlen zum Heldenplatz umgesetzt. Jetzt stehen die neuen Statuen des Vak Bottyán, dem Anführer des Rákóczi-Freiheitskampfes und Bálint Balassi, einem Dichter und Helden des 16.Jh., sowie die Statue von György Szondi, dem Burgkapitän von Drégely, auf dem Platz.

2

5

1

5
SZONDY GYÖRGY

4

6

7

BUDAPEST – MAGYAR ÁLLAMI OPERAHÁZ

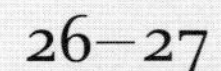

A Dalszínház építésének gondolata 1870-ben merült fel először. Andrássy Gyula miniszterelnök felterjesztésére Ferenc József király 1873-ban adta hozzájárulását a Magyar Királyi Operaház felépítéséhez. 1875–84 között épült Ybl Miklós tervei alapján olasz neoreneszánsz stílusban. A főbejárat két oldalát díszítő Erkel Ferenc és Liszt Ferenc ülőszobra, valamint a két szfinx Stróbl Alajos alkotása. A főpárkányt híres zeneszerzők – Monteverdi, Scarlatti, Gluck, Mozart, Beethoven, Rossini, Donizetti, Glinka, Wagner, Verdi, Gounod, Bizet, Muszorgszkij, Csajkovszkij, Moniuszko – szobrai díszítik. A nézőtér óriási – Lotz Károly – mennyezetfreskója a múzsák hegyét, az Olympost ábrázolja Apolló, Bacchus, Zeusz és Vénusz alakjaival.

Az 1884-ben megnyitott intézmény első fő-zeneigazgatója Erkel Ferenc volt. A nyitóelőadáson a Bánk bán című operáját, a Hunyadi László nyitányát és Wagner Lohengrinjének az első felvonását adták elő. Kiemelkedő igazgatói Gustav Mahler, Otto Klemperer, Carelli Gábor voltak. Puccini két operáját is személyesen állította színre. Megnyitásának centenáriumára, 1984-re teljesen felújították.

The concept of building a Musical Theatre first emerged in 1870. The proposal of the Prime Minister Gyula Andrássy to build the Hungarian Royal Opera House was supported by Franz Joseph in 1873. The building was constructed between 1875 and 1884 in Italian Neo-renaissance style following plans drawn up by Miklós Ybl. The main entrance is decorated on either side by sitting statues of Ferenc Erkel and Ferenc Liszt, and there are also two sphinxes, all the work of Alajos Stróbl. On the main cornice are statues of famous composers- Monteverdi, Scarlatti, Gluck, Mozart, Beethoven, Rossini, Donizetti, Glinka, Wagner, Verdi, Gounod, Bizet, Mussorgsky, Tchajkovsky and Moniusko. In the auditorium there is a huge ceiling fresco by Ká-roly Lotz, depicting Olympus, Mount of the Muses, and including Apollo, Bacchus, Zeus and Venus.

The first musical director of the institution, which was opened in 1884, was Ferenc Erkel. The gala opening performance included the Hungarian opera Bánk Bán, the László Hunyadi overture and the first Act of Wagner's Lohengrin. Outstanding directors also include Gustav Mahler, Otto Klemperer, and Gábor Carelli. Puccini personally directed two of his operas here. The Opera House was completely restored on the centenary of its opening, in 1984.

Die Idee, ein Liedertheater zu bauen, reifte 1870. Der Ministerpräsident Gyula Andrássy reichte das Gesuch ein, worauf K&K Franz Josef 1873 erlaubte ein königliches, ungarisches Opernhaus zu bauen. Nach den Plänen von Miklós Ybl wurde 1875-84 im italienischen neo- renaissance Stil gebaut. Auf beiden Auffahrten schmücken die sitzenden Statuen von Ferenc Erkel und Ferenc Liszt, sowie 2 Sphinxe, alles Werke von Alajos Stróbl. Den Hauptgiebel zieren Figuren der Komponisten Monteverdi, Scarlatti, Gluck, Mozart, Beethoven, Rossini, Donizetti, Glinka, Wagner, Verdi, Gounod, Bizet, Muszorgszkij, Tschaikowsky und Moniusko. Die riesige Deckenfreske über dem Zuschauerraum, von Károly Lotz, zeigt den Olymp mit den Musen und den Göttern Apollo, Bacchus, Zeus und Venus.

Der erste Hauptmusikdirektor des 1884 eröffneten Hauses war Ferenc Erkel. Bei der Eröffnungsvorstellung wurde seine Oper Bánk bán, die Overtüre von Hunyadi László und der 1.Akt von Wagners Lohengrin gespielt. Die herausragenden Direktoren waren Gustav Mahler, Otto Klemperer und Carelli Gábor. Puccini hat persönlich zwei Opern inszeniert. Zum hundertjährigen Jubiläum 1984 wurde es komplett renoviert.

BUDAPEST – MAGYAR NEMZETI MÚZEUM

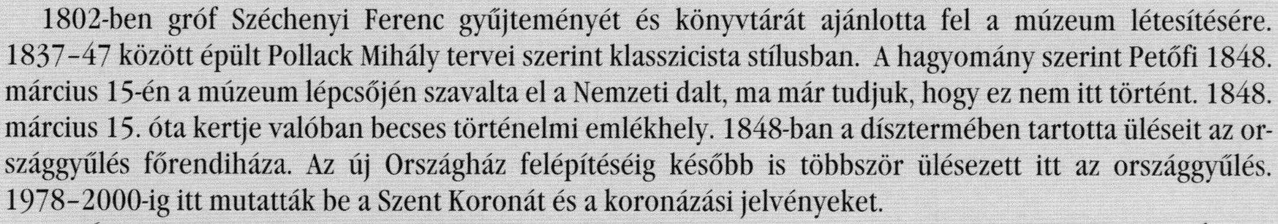

1802-ben gróf Széchenyi Ferenc gyűjteményét és könyvtárát ajánlotta fel a múzeum létesítésére. 1837–47 között épült Pollack Mihály tervei szerint klasszicista stílusban. A hagyomány szerint Petőfi 1848. március 15-én a múzeum lépcsőjén szavalta el a Nemzeti dalt, ma már tudjuk, hogy ez nem itt történt. 1848. március 15. óta kertje valóban becses történelmi emlékhely. 1848-ban a dísztermében tartotta üléseit az országgyűlés főrendiháza. Az új Országház felépítéséig később is többször ülésezett itt az országgyűlés. 1978–2000-ig itt mutatták be a Szent Koronát és a koronázási jelvényeket.

1996-ra a kiállításokat is korszerűsítették. Azóta hazánk történelmét mutatják be: 8 teremben az Árpád-házi királyok korától a török kiűzéséig, 7 teremben a Rákóczi-szabadságharctól a 19. század végéig, 4 teremben a 20. század történetét. A múzeum alsó szintjein lapidáriumot, kőtárat rendeztek be. A koronázási palást is itt tekinthető meg. A Múzeum-kert sok szoborral díszített park. A múzeum előtt áll Arany János szobra, Stróbl Alajos alkotása.

In 1802 Count Ferenc Széchényi offered his collections and library to establish the Museum and between 1837 and 1847 the building was completed in Classical style by Mihály Pollack. According to tradition the poet Petőfi wrote the National Anthem on the Museum steps on March 15th 1848, but this story is now known to be apocryphal. Since that date however the garden has been a place of memorial. In 1848 the Upper House of the national parliament sat in the Museum's ceremonial hall, and many further sessions were held here until the completion of the new Parliament building. From 1978 to 2000 the Holy Crown and the symbols of royalty were on display here.

In 1996 the exhibitions were brought up to date, and since that time the Museum has depicted the history of Hungary, 8 rooms covering the period from the kings of the Árpád dynasty to the Turkish invasions, 7 rooms from the Rákóczi wars of liberation to the end of the 19th century and a further four rooms for 20th century Hungary. The Museum's ground floor contains a collection of semi-precious and precious stones. The Museum garden is decorated with statues and in front of the Museum is the statue of the poet János Arany, the work of Alajos Stróbl.

Zur Gründung des Museums gab Graf Ferenc Széchenyi seine Sammlung und seine Bibliothek, damit dieses 1837–47 im klassizistischen Stil nach Plänen von Mihály Pollack gebaut werden konnte. Traditionell wird angenommen, dass Petőfi auf der Museumstreppe am 15.März 1848 das Nationallied vorgetragen hat, aber heute wissen wir, dass es nicht so war. Seit diesen Tagen ist der Garten ein geschichtlicher Schauplatz. Ab 1848 bis zur Fertigstellung des neuen Parlaments tagten die Magnaten im Prunksaal. Von 1978–2000 wurden hier die Krönungsinsignien und die Hl.Krone ausgestellt.

Bis 1996 wurden die Sammlungen erneuert. Seitdem wird hier die Geschichte Ungarns gezeigt. In 8 Räumen, die Epoche von den Königen aus dem Hause Árpád bis zur Vertreibung der Türken. In 7 Räumen, die Zeit vom Rákóczi-Freiheitskampf bis zum Ende des 19. Jh. und in 4 Räumen die Geschichte des 20. Jahrhunderts. In der unteren Etage befindet sich eine Steinsammlung, in ihr wird der Krönungsmantel ausgestellt. Der Museumsgarten ist ein mit Statuen geschmückter Park. Vor dem Museum steht die Figur des János Arany von Alajos Stróbl.

ARANY

BUDAPEST – MÁTYÁS-TEMPLOM

IV. Béla alapította. 1255–69 között épült gótikus stílusban. Nagy Lajos, Zsigmond és Mátyás király korában bővítették, Mátyás a déli tornyot építtette újjá. 1541-től a törökök főtemploma volt. 1686 után a ferencesek, majd a jezsuiták kapták meg. Barokk stílusban átépítették. Mai neogótikus stílusát Schulek Frigyes tervei szerint 1874–96 között kapta. Az 1970-es években újították meg Zsolnay-majolikából készült tetőzetét is.

A középkorban a Székesfehérváron megkoronázott királyokat itt mutatták be Buda polgárainak. Néhány uralkodót itt ravataloztak fel. 1308-ban Károly Róbertet, 1867-ben I. Ferenc Józsefet, 1916-ban IV. Károlyt falai között koronázták meg. Zsigmond uralkodása után a fontos hadjáratok győzelmi jelvényeit, zászlóit itt helyezték el. 1424-ben Zsigmond király itt fogadta a görög császárt is. Mátyás királlyá választása után, 1458-ban itt tartották az ünnepélyes hálaadó misét és Mátyás két esküvőjét.

A 13. századi késő román stílusú, északi, zömök torony az alapító, IV. Béla nevét viseli. A déli, az ún. Mátyás-torony 81 méter magas, a harmadik emeleti ablakában elhelyezett, 1470-es évszámmal ellátott koronás címerét Schulek Frigyes a templom belső falára helyezte át.

Belső díszítése 19. század végi. Díszítőfestése Székely Bertalan munkája, ugyancsak ő és Lotz Károly tervezte színes üvegablakait. Főhajójában az oszlopokon elhelyezett zászlókat az 1867-es királykoronázáskor használták.

A Lorettói kápolnában áll a legendás márvány Madonna-szobor. A Béla-torony északi falán Lotz freskója a nándorfehérvári győzelmet örökíti meg. A neoromán keresztelőmedence Schulek Frigyes munkája.

A Szent Imre-kápolna oltárképeit Zichy Mihály festette. A Szentháromság-kápolnában helyezték el III. Béla király és felesége szarkofágját. A Szent László-kápolna faliképeit Lotz festette. Fülkéjében helyezték el a király fejereklyetartójának felére kicsinyített mását.

A főoltár Schulek műve, közepében fából faragott madonnaszobor. Első emeleti karzatán Egyházművészeti Múzeum működik.

The church was founded by Béla IV and was built in Gothic style between 1255 and 1269. During the reigns of Lájos the Great, Zsigmond and Mátyás, the church was expanded and King Mátyás rebuilt the southern tower. During the Turkish occupation from 1541, the church was used as their main mosque by the occupying forces. When the Turks left in 1686, the church was handed over, first to the Franciscans and then to the Jesuits, and rebuilt in Baroque style. The present Neo-gothic appearance of the church took shape between 1874 and 1896 on the basis of plans drawn up by Frigyes Schulek. In 1970 the roof was renovated with Zsolnay ceramic tiles.

In the Middle Ages the Kings, who were crowned in the city of Székesfehérvár, were shown to the citizens of Buda here, and sometimes the church was used for the laying in state of deceased monarchs. The church also saw the coronations of Károly Róbert in 1308, Franz Joseph I in 1867, and Károly IV in 1916. From the reign of Zsigmond the church housed the flags and victory symbols from important military campaigns. In 1424 Zsigmond received the Byzantine emperor here. After King Mátyás's coronation in 1458, the Thanksgiving Mass and Mátyás's oath-taking ceremony were held in the church.

The squat, thirteenth century, late Romanesque tower, bears the name of the church's founder, Béla IV. The southern tower, known as the Mátyás Tower is 81 metres high, and the royal crest, bearing the date 1470 was moved from the window in the third storey to the inner walls of the church by Frigyes Schulek. The internal decoration dates from the end of the 19th century, and is the work of the painter Bertalan Székely, and he and Káróly Lotz also designed the stained-glass windows. The flags on the columns in the main aisle were used in the 1867 coronation ceremony. In the Loretto chapel is the legendary marble statue of the Madonna. On the northern wall of the Béla Tower there is a fresco by Lotz, celebrating the victory at Nándorfehérvár (Belgrade). The Neo-romanesque baptismal font is the work of Frigyes Schulek and the altar paintings in the St. Imre chapel are the work of Mihály Zichy. In the Holy Trinity chapel is the sarcophagus of Béla III and his wife. The wall paintings in the St. László chapel are the work of Lotz and in the niche is a small model of the reliquary that contained the king's head. The main altar is the work of Schulek and in the centre is a statue of the Madonna carved in wood. The church's first floor gallery is now used as a museum of ecclesiastical art.

Gegründet wurde sie von Béla IV. und im gotischen Stil 1255–69 gebaut. Unter Lajos d. Gr., Zsigmond und König Matthias wurde sie vergrößert und er hat den südlichen Turm neu errichten lassen. Ab 1541 war sie die „Hauptkirche“ der Türken. Nach 1686 übernahmen sie die Franziskaner, später die Jesuiten und bauten sie im Barockstil um. Den heutigen neugotischen Stil bekam sie 1874-96 nach Plänen von Frigyes Schulek. In den 70-Jahren wurde das Dach mit Zsolnayer Majolika erneuert.

Im Mittelalter wurden die in Stuhlweißenburg (Székesfehérvár) gekrönten Könige, hier den Budaer Bürgern vorgestellt. Einige Herrscher wurden hier aufgebahrt. Unter diesem Dach wurden 1308 Károly Róbert, 1867 Franz Josef I. und 1916 Károly IV. gekrönt. Der griechische Kaiser wurde hier 1424 von Zsigmond empfangen. Nach seiner Herrschaft wurden hier die Siegesabzeichen und Fahnen aufbewahrt. Für Matthias wurden nach seiner Wahl zum König hier die Messe gefeiert und seine zwei Hochzeiten zelebriert.

Der aus dem 13.Jh. stammende, spätromanische nördliche Turm ist nach seinem Gründer Béla IV. benannt. Das im südlichen, 81m hohen Matthias-Turm aus dem 3. Stock stammende Fenster mit dem Kronenwappen von 1470 wurde durch Frigyes Schulek in das Innere der Kirche verlegt.

Die Dekorationsmalerei von Bertalan Székely, sowie die von ihm und Károly Lotz entworfenen Glasfenster, stammen aus dem Ende des 19. Jahrhunderts. Die Fahnen auf den Säulen im Hauptschiff wurden bei der Krönungsfeier 1867 benutzt.

In der Lorettó-Kapelle steht die legendäre marmorne Madonnenstatue. Die Lotz-Freske an der Nordwand des Béla-Turmes zeigt den Sieg bei Nándorfehérvár. Die neoromanische Taufkapelle ist eine Arbeit von Frigyes Schulek.

Die Altarbilder der Imre-Kappelle malte Mihály Zichy. In der Dreifaltigkeits-Kapelle stehen die Sarkophage von Béla III. und seiner Gattin. Die Wandbilder der László-Kapelle stammen von Lotz. In einer Nische befindet sich das, auf die Hälfte verkleinerte Abbild des Reliquienschreins, mit dem Königskopf.

Ein Werk von Schulek ist der Hauptaltar, in dessen Mitte eine hölzerne Madonnenstatue steht. Auf der Empore im ersten Stock ist das Kirchenkunstmuseum.

BUDAPEST – NEMZETI SZÍNHÁZ

32–33

A kivitelező munka Siklós Mária tervei szerint 2000 szeptemberében kezdődött, s 15 hónap múlva fejeződött be. 2002. március 15-én Madách Az ember tragédiája című művével nyitotta meg a kapuit. Parkosított terek veszik körül, így saját mikroklímájukkal az épület szerves tartozékai. A 619 férőhelyes nézőtér menynyezetét egy ovális kupola zárja le. A szőnyegek, a páholyok drapériái egyedileg tervezettek. Akusztikai hangolását Arkagyij Popov végezte. A kert és a szoborparkot Török Péter kerttervező művész tervezte. Az oldalhomlokzati szobrokat Schrammel Imre tervezte. A főbejárati homlokzaton a 9 múzsaszobor Párkányi Raab Péter szobrász alkotása. A reliefek Maklári Zoltánt, őze Lajost, Somogyi Erzsit, Rajz Jánost, Kálmán Györgyöt, Bihari Józsefet, Pártos Erzsit, Pécsi Sándort, Gábor Miklóst, Páger Antalt, Sulyok Máriát, Bulla Elmát, Feleki Kamillt, Dajka Margitot ábrázolják, Marton László alkotásai. A főbejárat előtti tér hajóorrszerűen nyúlik egy mesterségesen kialakított vízfelületbe. A park kapuszobrát (2) Melocco Miklós tervezte, melyen Tolnay Klári és Latinovits Zoltán alakja fogadja a közönséget. Valamelyik legendás szerepükben megörökített, egész alakos szobrok Gobbi Hilda, Kiss Manyi, Ruttkai Éva, Latabár Kálmán (4), Tímár József (3), Major Tamás, Sinkovits Imre, Lukács Margit, Básti Lajos, Soós Imre alakjai, melyek Bencsik István, Marton László, Kligl Sándor és Párkányi Raab Péter alkotásai. A Blaha Lujza téri régi Nemzeti Színház sziluettje a hajóorr előtti vízfelületbe fektetve helyezkedik el (1).

A Duna-part parktér építményei közül az egyik egy labirintus, mely emberléptékű nyírt sövényből kerül kialakításra. A másik egy zikkurat, amely Bábel tornya vagy a maja nappiramisok távoli idézeteként fogható fel. Az építmény spirál alakban kanyarodó útjának végén, a piramis tetején királyi trónpárhoz érkezik a látogató.

1

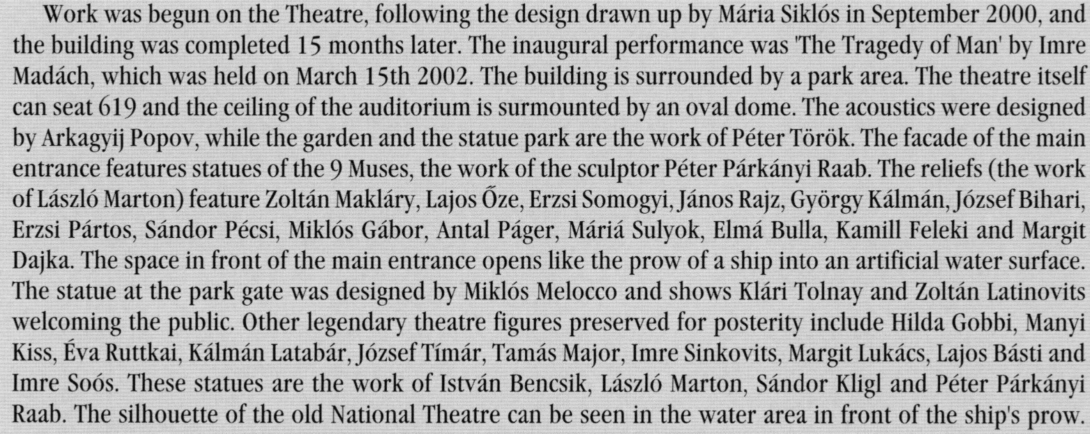
Work was begun on the Theatre, following the design drawn up by Mária Siklós in September 2000, and the building was completed 15 months later. The inaugural performance was 'The Tragedy of Man' by Imre Madách, which was held on March 15th 2002. The building is surrounded by a park area. The theatre itself can seat 619 and the ceiling of the auditorium is surmounted by an oval dome. The acoustics were designed by Arkagyij Popov, while the garden and the statue park are the work of Péter Török. The facade of the main entrance features statues of the 9 Muses, the work of the sculptor Péter Párkányi Raab. The reliefs (the work of László Marton) feature Zoltán Makláry, Lajos Őze, Erzsi Somogyi, János Rajz, György Kálmán, József Bihari, Erzsi Pártos, Sándor Pécsi, Miklós Gábor, Antal Páger, Máriá Sulyok, Elmá Bulla, Kamill Feleki and Margit Dajka. The space in front of the main entrance opens like the prow of a ship into an artificial water surface. The statue at the park gate was designed by Miklós Melocco and shows Klári Tolnay and Zoltán Latinovits welcoming the public. Other legendary theatre figures preserved for posterity include Hilda Gobbi, Manyi Kiss, Éva Ruttkai, Kálmán Latabár, József Tímár, Tamás Major, Imre Sinkovits, Margit Lukács, Lajos Básti and Imre Soós. These statues are the work of István Bencsik, László Marton, Sándor Kligl and Péter Párkányi Raab. The silhouette of the old National Theatre can be seen in the water area in front of the ship's prow.

One of the buildings along the banks of the Danube is a labyrinth formed of a hedge designed on a human scale. There is also a ziggurat, which can be interpreted as a Tower of Babel or as a Maya sun pyramid. After walking up a spiral path the visitor reaches a royal pair at the top of the pyramid.

2

Die Bauarbeiten begannen im September 2000 nach Plänen von Mária Siklós und waren 15 Monate später beendet. Am 15.März 2002 öffnete es seine Pforten mit dem Drama von Imre Madách „Die Tragödie der Menschen". Es wird von Parkanlagen umgeben. Der Zuschauerraum mit 619 Plätzen wird mit einer ovalen Kuppel abgeschlossen. Die Akustische Abstimmung wurde von Arkagyij Popov gemacht. Der Figurenpark und der Garten wurden vom Gartenbaukünstler Péter Török angelegt. Auf dem Giebel des Haupteingangs sind die 9 Musen des Bildhauers Péter Párkányi Raab. Die Reliefs von László Marton zeigen: Zoltán Maklári, Lajos Őze, Erzsi Somogyi, János Rajz, György Kálmán, József Bihari, Erzsi Pártos, Sándor Pécsi, Miklós Gábor, Antal Páger, Mária Sulyok, Elma Bulla, Kamill Feleki, Margit Dajka. Der Platz vor dem Haupteingang ragt wie ein Schiffsbug in eine künstlerische Wasserfläche, aus der die Silhouette des Alten Nationaltheaters, am Blaha Lujza Platz, aufzusteigen scheint. Die Torfiguren im Park Klári Tolnay und Zoltán Latinovits, sind ein Werk von Miklós Melocco, sie begrüßen das Publikum. Die lebensgroßen Figuren der Bildhauer István Bencsik, László Marton, Sándor Kligl, Péter Párkányi Raab stellen die Schauspieler Hilda Gobbi, Manyi Kiss, Éva Ruttkai, Kálmán Latabár, József Tímár, Tamás Major, Imre Sinkovits, Margit Lukács, Lajos Básti und Imre Soós in legendären Rollen dar..

Im Donauuferpark ist ein Labyrinth aus Hecken und ein Zikkurat, das den Turm zu Babel symbolisiert. Am Ende des spiralförmigen Aufgangs steht der Besucher auf einer Terrasse mit herrlicher Aussicht über die Stadt.

3

4

BUDAPEST – NÉPRAJZI MÚZEUM

Az Országházra kiírt pályázaton Hauszmann Alajos második díjat nyert. Munkája jelentősen módosított változata alapján épült fel az Országházzal szemben 1893–96 között az Igazságügyi Palota, ami az egykori Magyar Királyi Kúria (Legfelsőbb Bíróság) és a budapesti Ítélőtábla intézményeinek adott otthont. A késő eklektika kiemelkedő alkotása a királyi palota mellett Hauszmann Alajos legnagyszerűbb alkotása. Négy utcára néző homlokzatainak különösen kiegyensúlyozott arányai, a térre néző főhomlokzat formái és szobrászati díszei teszik jelentőssé az 1967-ig a Magyar Nemzeti Galériát is magába foglaló épületet. 1973 óta a Magyar Néprajzi Múzeum kiállításai tekinthetők meg benne. A főbejárat feletti timpanonban Zala György szoborcsoportja az Igazság győzelmét szimbolizálja. Neoreneszánsz csarnokát Lotz Károly allegorikus freskói díszítik.

Alajos Hauszmann won second prize in the public competition to design the Parliament. On the basis of this design, although it was significantly modified, the Palace of Justice was built opposite the Parliament between 1893 and 1896. This building housed both the Hungarian Royal Court (The Supreme Court) and the Budapest Court of Appeal. Besides the royal palace, this late eclectic style building was Hauszmann's finest creation. The particularly balanced lines of the facade looking out onto four different streets, and the statues that adorn it, gave real style to the building which housed the Hungarian National Gallery until 1967. Since 1973 the collections and exhibitions of the Folklore Museum can be viewed here. The tympanum above the main entrance features a group of statues by György Zala symbolising the triumph of Justice. The Neo-renaissance hall is decorated with allegorical frescoes by Károly Lotz.

Bei der Ausschreibung für das Parlament gewann Alajos Hauszmann den zweiten Platz. Nach seinem stark geänderten Plan wurde der Justizpalast gegenüber dem Parlament, zwischen 1893-96 gebaut. In ihm befanden sich die ehemalige Ungarische Königskurie (Oberstes Gericht) und die Budapester Königliche Tafel. Es ist ein herausragendes Werk der Späteklektik und neben dem Königspalast sein wunderbarstes Werk. Die besonders aus-geglichenen Maße der Fassade, die auf vier Straßen wirken, sowie der Statuen- und Formen-schmuck der zum Kossuth tér zeigt, machen das Gebäude so bedeutend. Im Timpanon, oberhalb des Haupteingangs, symbolisiert die Statuengruppe von György Zala den Sieg der Wahrheit. Die Neorenaissancehalle wird mit den allegorischen Fresken von Károly Lotz geschmückt. Hier war bis 1967 die Ungarische Nationalgalerie untergebracht. Seit 1973 sind hier die Ausstellungen des Volkskundemuseums.

BUDAPEST – ORSZÁGHÁZ

36–37

Az Országház a főváros, a Duna-part, a Kossuth tér dísze, Európa egyik legszebb parlamenti épülete. Az 1882-ben kiírt tervpályázatot Steindl Imre (1839–1902) műegyetemi tanár nyerte meg.

A historizáló eklektika stílusában 1885 októberében kezdték az építését, s 17 évig átlag ezren dolgoztak rajta. Mintegy 176 ezer m³ földet mozgattak meg, 40 millió téglát használtak fel a 268 m hosszú, 123 m széles, 96 m magas alkotás felépítésére. Kívül 90 szobor, megyei és városi címerek, belül 152 szobor és hazai virágmotívumok sorai dekorálják a falakat. A Kossuth térsn Rákóczi Ferenc szobra (9) is látható.

Esztétikailag a Duna felőli oldal a főhomlokzat (6), de a főbejárat, az oroszlános kapu a Kossuth térről nyílik (8). A díszlépcső (4) a kupolaterembe vezet, mely Steindl Imre legragyogóbb építőművészi alkotása. A díszlépcsőcsarnok mennyezete a svéd király ajándéka, nyolc sötétvörös, 6 m magas és 4 t gránitoszlop tartja. A világon még négy ilyen oszlop található a londoni Parlamentben. A mennyezetet Lotz Károly freskói díszítik.

A kupolacsarnok már 1896-ra elkészült, ott tartották a parlament millenniumi ünnepi ülését. Körben tizenhat uralkodó szobra és címerpajzsa látható. A csarnok díszei a korona és a koronázási ékszerek (2). Mellette nyílik a Vadászterem, az Országház nagyebédlője.

Az országgyűlés két házának külön ülésterem épült. Az egykori főrendiházi ülésterem gyakran nemzetközi tanácskozások színhelye. A képviselőházi ülésterem (3, 7) az országgyűlésnek ad helyet. Az elnöki emelvény melletti zárófal két oldalán az Osztrák–Magyar Monarchia szimbolikus születésnapja, Ferenc József magyar királlyá koronázása és az 1848. július 5-én megnyitott első népképviseleti országgyűlés temperaképe látható.

A Munkácsy-terem dísze a „Honfoglalás" című alkotás (5), Munkácsy Mihály (1844–1900) egyik legismertebb festőművészünk műve eredetileg a képviselőházi ülésterembe készült.

Az épületben működik a 700 ezer könyvtári egységet magában foglaló Országgyűlési Könyvtár.

1

The Parliament, standing on the banks of the Danube in Kossuth Square, is the pride of Budapest and one of Europe's finest parliamentary buildings. The public competition to find an architect for the building was won in 1882 by Imre Steindl (1839–1902), a teacher at the University of Fine Arts.

The building, with its eclectic, historicising style was started in October 1885, and took 1000 workers seventeen years to complete. To build the huge structure – 268 metres long, 123 wide, and 96 high – 176, 000 cubic metres of earth were moved and 40 million bricks were used. Outside there are 90 statues, and city and country crests; inside there are 152 statues and the walls of the building are decorated with a series of Hungarian flower motifs.

The main facade overlooks the Danube, but the main entrance with its lion gate opens out onto Kossuth Square. Here stands the statue of Ferenc Rákóczi. The ornamental staircase leads to the vaulted hall, one of the finest examples of Imre Steindl's architectural genius. The ceiling of the ornamental staircase is supported by eight dark red, granite columns, a gift of the King of Sweden. There are four other such columns in the world, all of them in the Houses of Parliament in London. The ceiling is decorated with frescoes by Károly Lotz.

The vaulted hall was ready for the parliamentary session of 1896, which celebrated the Millennium of the Hungarian nation. Around the hall can be seen sixteen statues and shields of Hungarian leaders, and the centrepiece is the crown and the crown jewels.

Two separate chambers were built for the two Houses of the Parliament, and today the chamber of the former Upper House is frequently used for international meetings.

Parliamentary sessions are held in the Chamber of Representatives. On the walls on either side of the Speaker's dais are watercolours depicting the birth of the Austro-Hungarian Monarchy, the coronation of Franz Joseph and the opening of the first session of the people's parliament on 5th July, 1848.

The Munkácsy room features the 'Honfoglalás' (Hungarian Settlement) by Hungary's best known artist, Mihály Munkácsy (1844–1900), which was originally painted in the parliamentary chamber.

2

Die Planung für das Parlament der Hauptstadt am Donauufer, eines der schönsten Parlamentgebäude Europas, Schmuck des Kossuth Platzes (tér), wurde im Jahre 1882 ausgeschrieben und dem Lehrer am Polytechnikum Imre Steindl (1839–1902) übertragen.

Der Bau, im historisch-eklektischen Stil, wurde im Oktober 1885 begonnen. In der 17 jährigen Bauzeit waren über tausend Menschen beschäftigt. Für das 268 m lange, 123 m breite und 96 m hohe Bauwerk benötigte man 40 Millionen Ziegel und es mussten 176.000 m³ Erde bewegt werden. An der Fassade stehen 90 Statuen, Komitats- und Stadtwappen, die Innen-räume dekorieren 152 Statuen und einheimische Blumenmotive.

Der ästhetische Hauptgiebel zeigt zum Donauufer, jedoch liegt der Haupteingang, das Löwentor, am Kossuth Platz. Dort steht das Denkmal von Ferenc Rákóczi II. Die Schmuck-treppe führt in den Kuppelsaal, dem hervorragendsten Werk von Imre Steindl. Die Decke dieses prunkvollen Treppenhauses wird von 8 dunkelroten, 6 m hohen und 4 t schweren Granitsäulen getragen. Sie sind ein Geschenk des schwedischen Königs. Es gibt auf der Welt nur vier gleichartige Säulen im Londoner Parlament. Die Deckenfresken stammen von Károly Lotz.

Die Kuppelhalle war bereits 1896 zum Millennium fertiggestellt und in ihr fand die Fest-versammlung des Parlaments statt. Umrahmt wird sie von den Statuen und Wappen der 16 ungarischen Herrscher. Die Stephanskrone und der Krönungsschmuck zieren der Halle.

Für die zwei Häuser des Parlaments wurden getrennte Sitzungssäle gebaut. Das ehemalige aristokratische Oberhaus ist heute Schauplatz für internationale Konferenzen.

Das Abgeordnetenhaus ist der Sitzungssaal des Parlaments. An der Rückwand, beiderseits des Präsidentenpults, sind die Tempera-Bilder mit der Darstellung der ersten Volksvertreter-sitzung vom 5.Juli 1848 und der Krönung von Franz Josef zum ungarischen König, dem symbolischen Geburtstag der Österreichisch-Ungarischen Monarchie.

Das Schmuckstück des Munkácsy-Saales ist das Bild „Die Landeroberung" des berühmten Kunstmalers Mihály Munkácsy (1844–1900). Es war ursprünglich im Abgeordnetenhaus.

3

4

5

6

7

9
RECRVDESCVNT DIVINA
VULNERA

A főváros legnagyobb egyházi épülete, 1993 óta az Esztergom–budapesti Főegyházmegye társszékesegyháza, katedrális. 1851–67 között Hild József klasszicista, Ybl Miklós neoreneszánsz stílusban építette 1891-ig a bazilikát.

A belső kialakítás 1891–1904 között Kauser József munkája. 1905-ben szentelték fel, 1906-ban I. Ferenc József király jelenlétében helyezték el a zárókövét. Három későbbi pápa bíborosként misézett benne, 1991-ben II. János Pál pápa is látogatást tett falai között. 1906-ban II. Rákóczi Ferenc és Zrínyi Ilona földi maradványait itt ravatalozták fel. 1938-ban a XXXIV. Eucharisztikus Világkongresszus egyes szertartásait, itt tartották. 1951 óta itt őrzik a Szent Jobbot, Szent István király mumifikálódott jobb kezét.

Falait 50-féle márvány- és nemeskővel borították. Mozaikjait Lotz és Benczúr tervezte. A főoltárt Szent István carrarai márványszobra, Stróbl Alajos alkotása díszíti. A kupolaoszlopok díszei Szent László szobra, Fadrusz János műve, Szent Gellért püspök szobra a gyermek Imre herceggel, Stróbl Alajos alkotása, Árpád-házi Szent Erzsébet szobra, Senyei Károly munkája. A szószék Kauser József alkotása. A harmadik legnagyobb, mintegy 6 ezer sípal rendelkező magyar orgonát a pécsi Angster cég készítette 1904-ben.

A bazilika értékes oltárképei: Benczúr Gyula: Szent István felajánlja a koronát Máriának, id. Vastagh György: Szent Imre, Stetka Gyula: Krisztus a keresztfán.

A Szent Jobb-kápolnát 1971-ben alakították ki, mai belsőjét 1987-ben kapta. A festett üvegablakok a magyar szenteket ábrázolják. A Szent Jobb ezüst ereklyeházát 1862-ben Bécsben készítették.

This, the largest ecclesiastical building in the capital, has been the joint cathedral church of the Esztergom-Budapest diocese since 1993. The basilica was built in Classical style by József Hild between 1851 and 1867 and developed in Neo-renaissance style by Miklós Ybl by 1891.

The interior, completed between 1891 and 1904 is the work of József Kauser. The church was consecrated in 1905 and the following year the final stone was laid in the presence of Franz Joseph I. Three cardinals who were later to become popes gave masses here and in 1991 Pope John Paul paid a visit to the church. In 1906 the earthly remains of Ferenc Rákóczi II and Ilona Zrinyi were laid to rest here. During the World Eucharist Conference in 1938 some of the ceremonies were held in the church. Since 1951 the church has preserved the Szent Jobb, King István's mummified right hand.

The walls of the church are covered with fifty different types of marble and fine stones, and the mosaics were designed by Lotz and Benczúr. A statue of St. István in Carrara marble by Alajos Stróbl decorates the main altar. The columns of the dome are decorated with statues of St. László (the work of János Fadrusz), of St. Gellért with the infant Count Imre (Alajos Stróbl), and of St. Elisabeth of the Árpád Dynasty (Károly Senyei), while the pulpit is the work of József Kauser. The third largest organ in Hungary with its 6,000 pipes was built by the Angster firm of Pécs in 1904.

The basilica has valuable altar paintings: by Gyula Benczúr: St. István Offering the Crown to Mary, by György Vastagh the Elder: St. Imre, and by Gyula Stetka: Christ on the Cross.

The St. Jobb Chapel was created in 1971 and its present interior dates from 1987. The painted windows depict the Hungarian saints. The silver St. Jobb reliquary was created in Vienna in 1862.

Der größte Sakrale Bau der Hauptstadt, ist seit 1993 Kathedrale der Erzdiözese Esztergom–Budapest. Sie wurde 1851–67 von József Hild im klassizistischen Stilgebaut und ab1891 von Miklós Ybl im Neorenaissance Stil vollendet.

Die Innengestaltung übernahm József Kauser 1891–1904. Eingeweiht wurde sie 1905 und 1906 wurde unter Anwesenheit von König Franz Josef der Schlussstein gesetzt. Drei spätere Päpste hielten hier noch als Kardinäle Messen ab. Papst Johannes Paul II. war im Jahre 1991 auf Besuch. Die sterblichen Überreste des Ferenc Rákóczi II. und Ilona Zrínyi wurden 1906 hier aufgebahrt. Anläßlich des XXXIV. Eucharistischen Weltkongresses 1938 wurden hier einige Liturgische Feiern abgehalten. Seit 1951 wird hier die mumifizierte rechte Hand des Königs St. Stephan aufbewahrt.

Die Wände sind mit 50 verschiedenen Marmor- und Edelsteinarten verkleidet. Die Mosaike stammen von Lotz und Benczúr. Den Hauptaltar schmückt die Cararamarmor Statue des St. Stephan, ein Werk von Alajos Stróbl. Die Kuppelsäulen schmücken Statuen des: Hl.László (János Fadrusz), Bischof St.Gellért mit Prinz Imre (Alajos Stróbl), Hl. Elisabeth aus dem Hause Árpád (Károly Senyei). Die Kanzel ist ein Werk von József Kauser. Die drittgrößte ungarische Orgel mit 6000 Pfeifen fertigte 1904 die Manufaktur Angster aus Pécs.

Die Altarbilder von: Gyula Benczúr – Der St. Stephan bietet Maria die Krone an, György Vastagh d. Ältere – St.Imre, Gyula Stetka – Christus am Kreuz.

Die Kapelle für die „Hl. Rechte Hand" wurde 1971 eingerichtet und hat seit 1987 ihr heutiges Aussehen. Die gemalten Glasfenster stellen die ungarischen Heiligen dar. Der Schrein für die „Hl. Rechte Hand" wurde 1862 in Wien gefertigt.

EGO SUM VIA VERITAS ET VITA

O SALUTARIS HOSTIA

Budapest – Vajdahunyad vára

1896–1908 között épült Alpár Ignác (2) tervei alapján eklektikus-romantikus stílusban . Eredetileg a Millenniumi Kiállítás Magyarország történelmét bemutató csarnoka volt. A favázas szerkezetű, ideiglenes jellegű épületnek olyan sikere volt, hogy megbízták Alpár Ignácot az épületegyüttes tartós anyagokból való felépítésével. Nevét a város közönségétől kapta, hiszen az északnyugati saroktorony az erdélyi Vajdahunyadvár tornyának (4) hű másolata. A 21 épületből álló együttes négy részre tagolható. Román stílusú a jáki kápolna (6), kapuzata az európai rangú jáki bencés apátság 13. századi templomának szinte pontos mása. A román stílusú kolostor és kolostorudvar főpárkányán Árpád-házi Szent Erzsébet és egy kámzsás barát szobra áll. A gótikus épületcsoport legszebb része a szepescsütörtökhelyi gótikus kápolna bejáratának másolata.

Segesvár egyik 15–16. században emelt tornya átmenet a gót és a reneszánsz stílus között. Az összekötő palotarész a lőcsei óratoronyból, az eperjesi Rákóczi-házból és a francia reneszánsz palotából állt. 1944-ben lebombázták, később csak részben építették újjá.

A reneszánsz-barokk épületcsoportot a pozsonyi prímási palota, a Grassalkovich-kastélyok és a gyulafehérvári vár kapujának számos eleme alkotja. Itt kapott helyet a Magyar Mezőgazdasági Múzeum (1; 7; 3). Előtte az Anonymus-szobor (8), Ligeti Miklós alkotása áll. Anonymus Péter mester Győr püspöke lehetett, ő írta az első magyar krónikát.

The castle was built in eclectic style between 1896 and 1908 and designed by Ignác Alpár. It was originally the Hungarian history hall at the Millennium Exhibition. The timber-framed, temporary building was so successful that Ignác Alpár was commissioned to rebuild it as a permanent construction. The name came from the inhabitants of the city, although the north-west corner tower is a faithful copy of a tower of the Vajdahunyad Castle in Transylvania. The castle, made up of 21 buildings, can be divided into four sections. The Ják Gate is in Romanesque style, the portal is an exact copy of that of the 13th church of Benedictine Abbey at Ják. In the Romanesque style monastery and cloister park there are statues of St. Elisabeth of the Árpád Dynasty and a cowled monk. The finest section of the group of Gothic buildings is a copy of the entrance to the Gothic chapel in Szepescsütörtökhely.

The Gothic and Renaissance styles are connected by a 15th-16th century style tower from the Seges Castle. The connecting palace section is made up of the Clock Tower from Lőcse, the house of the Rákóczi family from Eperjes, and the French Renaissance palace. In 1944 this was bombed and later only partly reconstructed.

The Renaissance-Baroque section includes the Primate's Palace from Bratislava, the Grassalkovich Mansion and the gate from the castle at Gyulafehérvár. This section is also home to the Hungarian Agricultural Museum. In front stands the statue of 'Anonymous', the work of Miklós Ligeti. 'Anonymous', author of the first Hungarian Chronicle, may have been Master Peter, bishop of Győr.

Im eklektisch-romantischen Stil wurde sie nach Plänen von Ignác Alpár 1896-1908 gebaut. Ursprünglich war es eine Halle für die ungarische Millenniumsausstellung. Nur für die Ausstellung geplant, hatte die Holzkonstruktion so großen Erfolg, dass Alpár gebeten wurde, einen dauerhaften Gebäudekomplex zu bauen. Ihren Namen bekam sie von den Bürgern der Stadt, weil der nordwestliche Eckturm ein Abbild der Vajdahunyadvár in Siebenbürgen ist. Das aus 21 Gebäuden bestehende Ensemble kann man in 4 Abschnitte einteilen. Die Jáki-Kapelle ist im romanischen Stil. Der Torbogen ist eine Nachbildung der Jáki-Benediktinerabtei aus dem 13. Jh. Auf der Balustrade des Klosterhofes stehen die Statuen eines Kapuzinermönches und der Hl. Elisabeth aus dem Hause Árpád. Der schönste Teil der gotischen Gebäudegruppe ist eine Abbildung des Eingangs der gotischen Kapelle in Szepescsütörtökhely.

Der Turm von Segesvár aus dem 15–16.Jh. zeigt den Übergang vom gotischen zum renaissance Stil. Der verbindende Burgteil besteht aus dem Uhrturm von Lőcse, dem Rákóczi Haus von Eperjes und dem französischen renaissance Burgpalast. Nach der Bombardierung 1944 wurde sie teilweise renoviert.

Das Primatialpalais von Pozsony, das Tor der Burg Gyulafehérvár und Schloß Grassal-kovich war Vorbild für die Renaissance-barock Gebäudegruppe. Hier ist das Landwirtschaftliche Museum untergebracht. Vor ihm steht die Figur des „Anonymus“, ein Werk von Miklós Ligeti. Péter Meister, der Bischof von Győr war der Anonymus, er schrieb die erste ungarische Chronik.

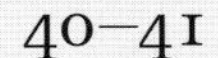

4

5

6

7

8
ANONYMVS =
GLORIOSISSIMI BELÆ REGIS NOTARIVS

Budapest – Vigadó

Helyén egykor a Pollack Mihály tervei alapján 1829–32-ben épített Redout állt. Az épületet Budavár 1849. évi ostromakor Windischgrätz katonáinak ágyúi rombolták le. Helyén 1859–64 között építették fel Feszl Frigyes tervei alapján a magyar romantika legkiemelkedőbb alkotását, a Vigadót.

A háromhomlokzatos, árkádos, romantikus stílusú épületet Alexy Károly szoboralkotásai és művészi kőfaragások díszítik. Belső falfestményei Lotz Károly és Than Mór munkái. Hansen dán építész a Vigadót kőbe álmodott csárdásnak nevezte. Nagytermében bálokat, hangversenyeket rendeztek, többek közt Liszt Ferenc, Johannes Brahms, Beniamino Gigli közreműködésével. A II. világháborúban súlyos sérüléseket szenvedett épületet 1980-ra építették újjá.

A sok koncert, kiállítás közül kiemelkedő rendezvénye a 2003. január 1-jén már 13-jára megrendezett Interoperett koncert.

On this site once stood the Redoubt designed by Mihály Pollack and built between 1829 and 1832. The building was blown up during the siege of Buda Castle in 1849 by the cannons of Windischgrätz's soldiers. In its place between 1859 and 1864 emerged one of the finest creations of Hungarian Romanticism, the Vigado, designed by Frigyes Freszl.

The romantic-style building with its triple facade is decorated with stone carvings and statues by Károly Alexy. The interior wall paintings are the work of Károly Lotz and Mór Than. The Danish architect Hansen described the Vigadó as an inn dreamed in stone. In the main hall, balls and concerts were organised with the help of Ferenc Liszt, Johannes Brahms and Beniamino Gigli. The building suffered severe damage in the Second World War and was rebuilt in 1980.

Among the many excellent events organised here was the 13th Interoperetta concert held on January 1st 2003.

Die Redoute war in den Jahren 1829–32 von Mihály Pollack gebaut worden. Das Gebäude wurde bei der Belagerung von Buda 1849 von den Kanonen der Windischgrätzer Soldaten zerstört. Auf den Ruinen wurde nach Plänen von Frigyes Feszl 1859–64 das Vigadó, das bedeutendste Werk der ungarischen Romantik aufgebaut.

Das romantische, dreigieblige Arkadengebäude wird mit künstlerischen Skulpturen von Károly Alexy geschmückt. Die Innenwandmalereien sind Arbeiten von Károly Lotz und Mór Than. Der dänische Architekt Hansen hat den Vigadó einen, in Stein geträumten Csárdás genannt. In der großen Halle wurden Bälle und Konzerte unter Mitwirkung von Ferenc Liszt, Johannes Brahms und Beniamino Gigli veranstaltet. Das im 2. Weltkrieg stark beschädigte Gebäude wurde bis 1980 wiederaufgebaut.

Aus der Liste von Konzerten und Ausstellungen ragt das schon zum 13. male aufgeführte Interoperett Konzert vom 1. Januar 2003 heraus.

SOPRON

A Város- vagy Tűztorony (2) római alapra épült a 13. század végén. Mai alakját az 1676-os tűzvész után kapta.

A Belváros felé néző oldala, a Hűségkapu az 1921-es népszavazás emlékét hirdeti, amikor a lakosság a hazánkhoz való tartozás mellett döntött. Akkor kapta Sopron a „leghűségesebb város" címet.

A római katolikus, ún. Kecske-templom (4) 1280-ban épült gótikus stílusban, a 17. században királykoronázások és országgyűlés színhelye volt. Belső berendezése 18. századi, legértékesebb a fából faragott, rokokó szószék.

A Szent Mihály-templomot (3), a város első plébániatemplomát a 13. század elején román stílusban kezdték építeni, a 15. században fejezték be gótikus stílusban, középkori műalkotása egy fából faragott Madonna-szobor.

Az Új utcán tekinthető meg a 14. század elején épült gótikus ózsinagóga (6), a soproni zsidók első imaháza, rituális fürdővel és az e századi építésű bécsi, majd soproni zsidó bankár magánimaháza.

A Fabricius-ház római falakra épült a 14–15. században, majd a 17. században késő reneszánsz, utána barokk stílusban átépítették. Kiemelkedő része az udvar kétemeletes loggiája és az első emeleten a faragott famennyezet.

A Két mór ház (5) a 18. század elején alakult ki két 17. századi parasztházból. Két mór figura áll a kaput keretező két csavart oszlopon, innen ered a ház neve.

A Fő tér egyik legszebb kispalotája, a Storno-ház (2) a 15. században már állt, Mátyás király is volt vendége. Mai alakját a 18. században kapta. Storno Ferenc kéményseprő, festő, restaurátor vásárolta meg, a Storno család gazdag és értékes magángyűjteménye tekinthető itt meg.

A volt Esterházy-palota 15–18. századi, jelenleg a Bányászati Múzeum (1) működik benne.

1

The City- or Fire Tower was built in the 13th century on Roman foundations. Its present form dates from the fire of 1676.

The Loyalty Gate, which looks towards the city centre, recalls the referendum of 1921, when the inhabitants of the city decided they wanted the city to remain in Hungary. After this Sopron was known as "the most loyal town". The Catholic church, the so-called Kecske (goat) Church was built in 1280 in Gothic style, and in the 17th century was the site of royal coronations and parliamentary sessions. Its interior dates from the 18th century and the most valuable feature is its wooden carved rococo pulpit.

The Church of St. Michael, the city's first parish church, was started in the 13th century in Romanesque style, and finished in Gothic style in the 15th century. The church includes a medieval wood carving of the Madonna.

In Új Street can still be seen the Gothic Old Synagogue which dates from the beginning of the 14th century, the first place of worship for Sopron's Jewish community, with its ritual bath and its private prayer chamber for Viennese and Sopron bankers.

The Fabricius House was built by the Roman walls in the 14th and 15th centuries and later converted in the 17th century, first into a late Renaissance, and then a Baroque style residence. It is notable for the two-storey loggia in the courtyard and the carved ceiling on the first floor.

The two Moorish houses were built at the beginning of the 18th century from two 17th century peasant houses. The houses got their name from the two figures that stood on the curved columns at the entrance to the houses.

One of the finest smaller mansions in the main square was the Storno House which was standing in the 15th century. King Mátyás was a guest here. Its present form dates from the 18th century.. Ferenc Storno, chimneysweep, painter and restorer bought the house which still displays the Storno family's rich and valuable private collection.

The former Esterházy Palace dates from the 15th to 18th centuries and now houses the Mining Museum.

2

Der Stadt- oder Feuerturm wurde auf römischen Grund Ende des 13. Jh. gebaut. Sein heutiges Aussehen bekam er nach dem Brand von 1676.

Auf der Seite zur Innenstadt wurde das „Treuetor" zur Erinnerung an die Volksabstimmung 1921 gebaut, bei der die Bevölkerung ihre Treue zu Ungarn bekannte. Damals wurde Sopron als treueste Stadt ausgezeichnet.

Die röm.-katholische, sogenannte „Ziegenkirche" wurde im gotischen Stil 1280 gebaut. Im 17. Jh. war sie Schauplatz für Krönungen und Parlamentssitzungen. Die Inneneinrichtung stammt aus dem 18. Jh. und das wertvollste Stück ist ein geschnitzter Holzpredigtstuhl.

Die erste Stadtkirche St.Mihály wurde im romanische Stil Anfang des 13. Jh. begonnen und im 15. Jh. im gotischen Stil fertiggestellt. Sie birgt eine hölzerne Madonnenfigur aus dem Mittelalter.

In der Új utca kann man die alte gotische Synagoge aus dem 14. Jh., das erste Gebetshaus der Soproner Juden mit einem rituellen Bad und das Privatgebetshaus eines aus Wien stammenden, Soproner Bankiers sehen.

Das Fabricius-Haus wurde auf römischen Fundamenten im 14–15. Jh. erstellt, im 17. Jh. im späten Renaissance- und danach im Barockstil umgebaut. Auffallend sind die zum Hof blickende zweistöckige Loggia und die geschnitzte Holzdecke im ersten Stock.

Das „Zwei Mohren Haus" ist aus zwei Bauernhäusern des 17. Jh. entstanden. Die zwei, auf geschwungenen Säulen stehenden Mohren gaben dem Haus seinen Namen.

Das schönste Stadtpalais des Hauptplatzes, das Stornohaus, aus dem 15. Jh. bot König Mátyás Gastfreundschaft. Seine heutige Gestalt bekam es im 18. Jh.. Ferenc Storno, ein Kaminkehrer, Maler und Restaurator erwarb es, seine reichhaltige und wertvolle Privat-sammlung ist heute zu besichtigen.

Der ehemalige Esterházy Palast, aus dem 15–18. Jh. beherbergt heute das Bergbaumuseum.

3

5

6

4

46–47

A közel kétezer lakosú falu 1741-ben lett a Széchényi család lakóhelye és uradalmi központja. A kastély (4) elődjét a 18–19. század fordulóján Széchényi Ferenc, „a legnagyobb magyar" édesapja alakíttatta át, akkor épült a főbejárat fölötti kovácsoltvas erkély és a kastély keleti szárnya. A nyugati szárnyat Hild Ferdinánd tervei szerint 1834–40 között Széchenyi István építtette. A kastély előtt díszparkban gyönyörködhetünk. A főépület barokk erkélyét négy toszkán oszlop tartja.

A főépület homlokzatát egy játszó gyermekeket ábrázoló dombormű és a Széchenyi-címer díszíti. A főépületben a Széchenyi István Emlékmúzeum (3) értékes gyűjteményei tekinthetők meg, a keleti szárnyban a kocsimúzeum és a méntelep, a nyugati szárnyban a könyvtár és – a volt Vörös-kastélyban – kastélyszálloda kapott helyet.

A kastélyparkban hatalmas platánokat, vadgesztenyefákat láthatunk. A főbejárattal szemben a híres hársfasor Fertőbozra vezet, a fasor végében áll „a legnagyobb magyar" fiának, Bélának és feleségének a síremléke. A Széchenyi Múzeumvasút (6) Nagycenkről viszi oda az utasait.

A Szent István római katolikus templomot (5) Széchenyi István építtette Ybl Miklós tervei szerint, de csak halála után, 1861–64 között készült el. Előtte Stróbl Alajos szoboralkotása áll Széchenyi Istvánról, felirata a Hitel utolsó mondata: „Magyarország nem volt, hanem lesz..."

A közeli temetőben 1778-ban épült fel a barokk Széchényi-mauzóleum (1; 2), a 19. század elején hozzáépült a háromhajós, klasszicista előcsarnok. Bejárata felett annak az orgonának a karzata látható, amelyen Liszt Ferenc is játszott. A kriptában alusszák örök álmukat a Széchényi család tagjai, köztük Széchenyi István is.

1

This village with its 2000 inhabitants became the family home and territorial centre of the Széchényi family in 1741. The predecessor of the mansion was converted by Ferenc Széchényi, the father of "the greatest Hungarian", at the turn of the 18th-19th centuries. The wrought iron balcony above the main entrance and the eastern wing of the mansion were built at this time. The west wing was designed by Ferdinánd Hild, and built between 1834 and 1840 by István Széchenyi. There is a beautiful park in front of the mansion, and the Baroque balcony on the main building is supported by four Tuscan columns.

The facade of the main building is decorated with a relief of a playing child and the Széchenyi family crest. In the main building is the valuable collection of the István Széchenyi Memorial Museum. The eastern wing houses the coach museum and the stud farm, while in the western wing is the library and the mansion hotel, formerly the Vörös Mansion.

In the park are huge plane and chestnut trees. Opposite the main entrance the famous avenue of lime trees leads to Fertőboz and at the end of the avenue lie the tombs of the "greatest Hungarian's" son, Béla and his wife. The visitor can reach here on the Széchenyi Museum railway from Nagycenk.

The Catholic church of St. István, designed by Miklós Ybl, was commissioned by István Széchenyi but only built between 1861 and 1864, after the Count's death. The statue of István Széchenyi by Alajos Stróbl stands in front of the church, and features the famous last words of the creed, "Hungary was not, but will be..."

In the nearby cemetery the Baroque Széchenyi Mausoleum was built in 1778 and supplemented by a triple-aisled Classical porch at the beginning of the 19th century. Above the entrance can be seen the gallery of the organ at which Ferenc Liszt played. In the crypt the members of the Széchényi family, including István Széchenyi rest in eternal peace.

2

Das Dorf mit 2000 Einwohnern kam 1741 in den Besitz der Fam. Széchenyi und war herrschaftlicher Mittelpunkt. Das vorhandene Schloß wurde von Ferenc Széchenyi, dem Vater des „größten Ungar" zur Wende des 18–19. Jh. umgebaut. Dabei hat er den geschmiedeten Balkon oberhalb des Haupteingangs und den Ostflügel des Schlosses gebaut. Den Westflügel lies István Széchenyi, nach Plänen von Ferdinánd Hild von 1834–40 ergänzen. Vor dem Schloß ergötzt uns ein prunkvoller Park. Der Barockbalkon des Hauptgebäudes ruht auf vier Toskanischen Säulen.

Der Giebel des Hauptgebäudes wird mit dem Relief eines spielenden Kindes und dem Széchenyi-Wappen verziert. Es beherbergt das István Széchenyi Museum mit wertvollen Sammlungen. Im Ostflügel sind das Wagenmuseum, sowie die Stallungen, im Westflügel ist die Bibliothek und im ehemaligen Roten Schloß, das Schloßhotel untergebracht.

Im Schloßpark stehen riesige Platanen und Roßkastanienbäume. Die berühmte Lindenallee führt nach Fertőboz und am Ende steht der Grabstein vom Sohn des „größten Ungar" Béla und dessen Gattin. Die Széchenyi Museumseisenbahn fährt die Besucher von Nagycenk zum Schloß.

Die rk. St. Stephan Kirche wurde nach Plänen von Miklós Ybl im Auftrag von István Széchenyi, erst nach seinem Tod, 1861–64 gebaut. Vor der Kirche steht Alajos Stróbl's Statue des István Széchenyi mit dem letzten Ausspruch des Buches *Der Kredit* "Ungarn war nicht, Ungarn wird...".

Im nahegelegenen Friedhof steht das Széchenyi-Mausoleum von 1778 mit der Anfang des 19. Jh. angebauten dreischiffigen Vorhalle. Über dem Eingang sieht man die Empore der Orgel, auf der schon Franz Liszt gespielt hat. In der Krypta ruht in ewigen Frieden die Familie der Széchenyi's, darunter auch István Széchenyi.

3

4

5

FERTŐD

48–49

A háromezer lakosú községben első tulajdonosának, Esterházy Pálnak az unokája, „Fényes" Miklós építette fel hazánk 18. századi legnagyobb épületegyüttesét a francia királyok versailles-i kastélya mintájára. Az Esterházy-kastély (4) építkezéseit maga Esterházy Miklós császári tábornagy irányította. A barokk csoda több építész elképzelése szerint épült fel, a legnevesebbek A. E. Martinelli, Jakoby Miklós, Hefele Menyhért. A kastély díszudvarára a gyönyörű, rokokó kovácsoltvas hármaskapun jutunk be. A kétemeletes főépület közepén háromszögű oromzattal lezárt rizalit látható. A főépülethez kétemeletes oldalszárnyak, azokhoz földszintes szárnyépületek kapcsolódnak.

A rokokó főhomlokzat előtt szökőkúttal díszített vízmedence van. Az emeletre két díszlépcső vezet. Az emeleti dísz- és zeneterem (5) alatt a földszinten csodálható meg az ún. Sala Terrena, amely a díszudvart és a kastély mögötti hatalmas parkot (1) kapcsolja össze. Több iparművészeti értékben gazdag kisebb szoba is megtekinthető a kastélyban, így a schönbrunni mintára kialakított lakkdíszítésű kínai szobák, a kápolna, a volt hercegi és női lakosztály szobái, valamint a Haydn Emlékmúzeum (6; 7). A Muzsikaház a pompás barokk csoda része, itt laktak a hercegi udvari zenészek, közöttük 1766–90 között Joseph Haydn is.

2

Miklós "The Magnificent", grandson of Pál Eszterházy and landlord of this community of 3000 people, built Hungary's largest group of 18th century buildings on the pattern of the Palace of Versailles. The Eszterházy Palace building work was directed by Miklós Esterházy, the imperial Fieldmarshal himself. The Baroque wonder was the product of various minds, including A. E. Martinelli, Miklós Jakoby and Menyhért Hefele. The ornamental courtyard of the palace is approached through a beautiful rococo wrought-iron triple gate. The centre of the main building features a triangular gabled bay and the two-storey side wings of the main building are joined to further single storey side buildings.

An ornamental pool decorated with a fountain lies in front of the rococo facade. Two decorated stairways lead up to the first storey, with its reception and music rooms. On the ground floor beneath is the wonderful Sala Terrena which joins the ornamental court and the huge park behind the palace. The castle boasts many rooms rich in arts and crafts, including the laquer-decorated Chinese room on the Schöbrunn model, the Chapel, the private rooms of the Count and Countess and the Haydn Memorial Room. The Music House is also part of this imposing Baroque structure, and was the home of the Count's court musicians, including Joseph Haydn himself from 1769 to 1790.

3

In der dreitausend Seelengemeinde hat der Enkel des ersten Besitzers Pál Esterházy, der „Fényes" Miklós, den größten Gebäudekomplex des 18. Jh. nach dem Muster von Versailles gebaut. Den Bau des Esterházy-Schlosses hat der kaiserliche Feldzeugmeister Miklós Esterházy persönlich überwacht. Das Barockwunder wurde nach den Ideen mehrerer Architekten entworfen. Die bedeutendsten sind A. E. Martinelli, Miklós Jakoby und Menyhért Hefele. In den Prunkhof gelangt man durch ein dreiteiliges, schmiedeeisernes Rokoko-Tor. In der Mitte des zweistöckigen Hauptgebäudes ist ein vorspringender Dreieck-giebel. Die zweistöckigen Seitenflügel werden mit einfachen Arkaden verlängert.

Vor dem Rokokohauptgiebel ist ein Springbrunnen. Zu den Etagen führen zwei Prunktreppen. Unter dem Musik- und Prunksaal liegt das sog. „Sala terrena", das den Schmuckhof mit dem riesigen Park hinter dem Schloß verbindet. Im Schloß sind mehrere Zimmer zu besichtigen, darunter das nach Schönbrunner Muster eingerichtete chinesische Zimmer mit Lackmalerei, die Kapelle, die Zimmer des Prinzen und die Salons der Damen, sowie das Haydn-Museum. Das Musikerhaus war ein Teil dieses Barockwunders, hier wohnten die Musikanten des Hofes, darunter auch Joseph Haydn von 1766–90.

1

GYŐR

Az 1030-ban épült román stílusú templomot később háromhajós bazilikává (9) alakították. Többször átépítették. Főhomlokzata klasszicista stílusú. A főhajó boltozatát Anton Maulbertsh 18. századi freskója díszíti, a főoltárkép is az ő munkája. Az északi mellékhajó kegyképe 1665-ben Írországból került ide. A 15. század elején épült gótikus stílusú Szent László-kápolnában csodálhatjuk meg a Szent László-hermát (8), hazánk egyik legértékesebb ötvösművészeti remekét.

Borsos Miklós, egyik legnagyobb 20. századi szobrászunk – kinek Győrből indult alkotói pályája – alkotásai a közeli épületben tekinthetők meg (3). A Mosoni-Duna-parti (6) város gyöngyszeme a Millenniumi emlékmű (7).

A Széchenyi teret 17–18. századi épületek övezik (1). Kiemelkedik közülük a barokk Xantus János Múzeum gazdag régészeti, helytörténeti, néprajzi, képző- és iparművészeti gyűjteményével.

A kétemeletes, 18. századi barokk Bezerédy- vagy Napóleon-házban (2) töltött egy éjszakát 1809-ben Napóleon. A neobarokk stílusú Városháza (4) egy győri üvegmester hagyatékából épült 1896-ban.

A modern Kisfaludy Színház (5) 1978-ban épült. Oldalfalát Victor Vasarely kerámiaburkolata, belsejét a Szász Endre tervezte és a Hollóházi Porcelángyárban készített két hatalmas porcelán falikép díszíti.

The Romanesque style church, built in 1030, was later developed into a triple-aisled basilica. It was reconstructed many times, and the facade is in the Classical style. The vault of the main aisle is decorated with frescoes by the 18th century artist Anton Maul-bertsch, and the main altar painting is also his work. The icon in the northern side-aisle was brought to Hungary from Ireland in 1665. In the Gothic style St. László Chapel is the herm of St. László (a reliquary in the form of a bust of the King), one of Hungary's finest pieces of metalwork.

In the nearby buildings can be seen the work of Miklós Borsos, one of Hungary's greatest 20th century sculptors who began his career in Győr. The Millennium Memorial is the pearl of this city which lies on the banks of the Mosoni-Danube.

The Széchenyi Square is surrounded by 17th and 18th century buildings, including the Baroque style János Xantus Museum with its rich archaeological, local history, folklore, art and craft collections.

In the two-storey 18th century Baroque Bezerédy or Napoleon house Napoleon spent two nights in 1809. The Neo-baroque City Hall was built from the inheritance of a glassmaker from the city in 1896.

The modern Kisfaludy Theatre was built in 1978. On the external walls can be seen the ceramic covering designed by Victor Vasarely, and the interior is decorated by two enormous porcelain wall pictures designed by Endre Szász and finished at the Hollóháza Porcelain Factory.

Die romanische Kirche aus dem Jahre 1030 wurde später zu einer dreischiffigen Basilika umgebaut. Ihr Hauptgiebel ist klassizistisch. Das Gewölbe des Hauptschiffes schmückt die Freske von Anton Maulbertsch, auch das Hauptaltarbild ist sein Werk aus den 18. Jh. Das Gnadenbild des nördlichen Seitenschiffes kam um 1665 aus Irland. Die im 15. Jh. gebaute St.László Kapelle beherbergt die wertvollste Goldschmiedearbeit, seinen Reliquienschrein.

Miklós Borsos, einer der größten ungarischen Bildhauer des 20. Jh., dessen künstlerischer Ursprung in Győr lag, stellt seine Werke im nahe gelegenen Gebäude aus. Die Perle der Stadt am Mosoner Donauufer, ist das Millenniumsdenkmal.

Der Széchenyi Platz wird umrahmt von Gebäuden aus dem 17–18. Jh. Herausragend ist das barocke János Xantus Museum, in dem archäologische, volkskundliche, heimatgeschicht-liche, bildende- und Gebrauchskunst ausgestellt werden.

In dem zweistöckigen, aus dem 18. Jh. stammenden Bezerédy- oder Napoleonhaus hat 1809 der Kaiser Napoleon genächtigt. Das neobarocke Rathaus konnte mit dem Nachlaß eines Glasermeisters 1896 gebaut werden.

Das moderne Kisfaludy-Theater wurde 1978 gebaut. Die Seitenwand trägt eine Keramikverkleidung von Victor Vasarely. Zwei riesige Porzellanwandbilder schmücken den Innenraum. Sie wurden nach einen Entwurf von Endré Szász in der Hollóházer Porzellan-manufaktur gefertigt.

50–51

2

3

1

4

5

6

7

8

9

TATA

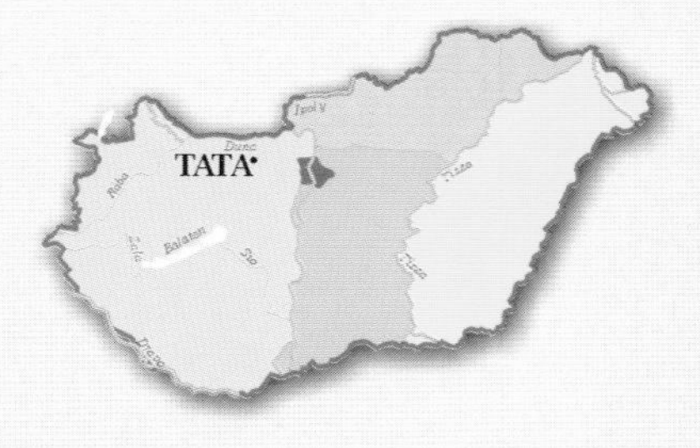

52–53

A várat (3) az Öreg-tó (1) partján Laczkffy István építtette a 14. század második felében. Nemsokára Zsigmond királyé lett, ő reneszánsz stílusban építette ki. 1412-ben a várban fogadta a lengyel királyt. Mátyás király idejében négy saroktornyos volt, ma csak a keleti torony látható. A törökök felrobbantották, majd Eszterházy József vásárolta meg. Az 1760-as években Fellner Jakab kezdte meg a helyreállítását, amelyet 1815-ben fejezték be. Neogótikus alakját 1893-ban kapta. A várban ma a Kuny Domonkos Múzeum (4), a város és a környékét bemutató gyűjtemény tekinthető meg.

A Nagytemplom (5) a 18. század közepétől 1780-ra épült fel copf stílusban Fellner Jakab, majd Grossmann József munkájaként. Főkapuja felett az Esterházy-címer látható. Berendezése 18. századi, kiemelkedik a négyoszlopos főoltár. Benne temették el Fellner Jakabot.

A Kálvária-domb (2) természetvédelmi terület, két kőfejtője a földtörténeti középkor szinte teljes rétegsorát őrzi.

Kápolnája 14. századi. Az óratorony vagy harangláb (6) 1763-ban épült Fellner Jakab tervei szerint, alsó része téglából, felső része fából van.

The castle was built on the banks of the Öreg Lake in second half of the 14th century by István Laczkffy. Soon afterwards it became the property of King Zsigmond, who built it up in Renaissance style. In 1412 the King of Poland was a guest at the castle. In King Mátyás's time it had four corner towers, although today only the eastern tower survives. The castle was blown up by the Turks and then bought by József Eszterházy. The reconstruction work was started in the 1760's by Jakab Fellner and finished in 1815. Its Neo-gothic form dates from 1893. Today the castle is home to the Domonkos Kuny Museum and the town and local collections can be seen there.

The main church was built in Copf style by Jakab Fellner, and then by József Grossman from the middle of the 18th century until 1780. Above the main entrance can be seen the crest of the Eszterházy family. The internal features are from the 18th century and particularly worthy of note is the four-columned main altar. In the church is buried Jakab Fellner.

The Calvary Hill is an environmentally protected area and its two stone quarries preserve an almost complete record of the various layers of the central period of the earth's geological history.

There is a 14th century chapel, and its clock- or bell tower was designed in 1763 by Jakab Fellner, the lower part is from brick and the upper part from wood.

In der zweiten Hälfte des 14. Jh. baut István Laczkffy die Burg am Öreg-tó (Altsee). Nach kurzem kam sie in den Besitz von König Zsigmond, er baute sie im Renaissance Stil aus. Den polnischen König empfing er um 1412 in der Burg. Zur Zeit von König Mátyás hatte die Burg vier Türme, heute steht nur mehr der östliche Turm. Die Türken haben sie gesprengt. Später erwarb sie József Esterházy. Um 1760 begann Jakab Fellner mit den Renovierungs-arbeiten, sie waren 1815 beendet. Ihre neugotische Form bekam sie 1893. In der Burg ist heute das Kuny Domonkos-Museum, in dem eine Sammlung aus der Stadt und ihrer Umgebung gezeigt wird.

Die Große-Kirche wurde bis 1780 im Zopfstil nach Plänen von Jakab Fellner und József Grossmann gebaut. Oberhalb des Haupttores sieht man das Esterházy Wappen. Die Innenein-richtung stammt aus dem 18.Jh., ebenso der Hauptaltar mit vier Säulen. Hier wurde Jakab Fellner bestattet.

Der Kalvarienberg ist ein Naturschutzgebiet, in den zwei Steinbrüchen ist das Erdmittel-alter in seiner geologischen Schichtung erhalten und gut sichtbar geblieben.

Nach Plänen von Fellner wurde zu der Kapelle aus dem 14. Jh. 1763 ein Uhrturm gebaut und der aus Ziegeln aufgemauerte Glockenstuhl bekam ein hölzernes Balkengerüst.

2

3

1

4

5

6

ESZTERGOM

A Várhegyen a 11. századi építésű, volt Szent Adalbert-templomtól északra épült fel a Packh János és Hild József tervezte főszékesegyház (4; 5), amely 1822–69 között hazánk legnagyobb templomának számított. A 100 m magas, 118 m hosszú és 49 m széles klasszicista bazilika 1856. évi felszentelésére írta Liszt Ferenc az *„Esztergomi misé”*-t, melyet maga vezényelt az ünnepségen. A főoltárkép a világ egyik legnagyobb vászonra festett oltárképe.

A templom déli oldalán nyílik az 1506–11 között épült Bakócz-kápolna (3), hazánk reneszánsz építészetének legszebb emléke. A kupola alatti térből nyíló Főszékesegyházi Kincstárban, a magyar egyházi kincsek leggazdagabb gyűjteményében a legértékesebb műtárgyak a koronázási ezüstkereszt, Suky Benedek kelyhe, Mátyás király kálváriája és a Báthori-féle miseruha.

A középkori királyi palota (2; 6; 7) a bazilika szomszédja. Először Géza fejedelem rezidenciája épült fel, azt fia, Szent István király bővítette, majd efölé III. Béla király jóval nagyobb, reprezentatívabb palotát emeltetett. A 13. század elejétől az épületek fokozatosan az érsekek tulajdonába kerültek. Vitéz János érsek reneszánsz stílusban további épületeket építtetett. Az ország legrégibb lakószobája, amelyben Mátyás király felesége, Beatrix lakott, valamint Vitéz János dolgozószobája és a kora gótikus várkápolna is látható itt.

Az újjáépített Mária Valéria híd (1) közvetlen összeköttetést teremt Szlovákiával.

On the castle hill, north of the former 11th century Church of St. Adelbert, the Cathedral Church was built, designed by János Packh and József Hild. From 1822 to 1869 the 100 metre high, 118 metre long and 29 metre wide building was Hungary's largest church. At the consecration in 1856 Ferenc Liszt conducted the *"Estergom Mass"* which he had written himself especially for the occasion. The altar painting is one of the world's largest painted on canvas.

At the southern end of the church is the Bakócz Chapel, built between 1506 and 1511, the most beautiful Renaissance building in Hungary. In the space under the dome in the Treasury of the Bishopric is the Hungarian Church's finest collection of treasures, including the coronation silver cross, the chalice by Benedek Suky, king Mátyás's Calvary, and the Báthory vestments.

Next to the church is the medieval royal palace, which was first built as a residence for Prince Géza and expanded by his son King István. Later, a much larger, more imposing palace was erected on the site by Béla III. From the beginning of the 13th century the buildings gradually came into the possession of the archbishops and Archbishop János Vitéz constructed further buildings in Renaissance style. The visitor can see Hungary's oldest inhabited room, where Beatrix, wife of King Mátyás stayed, as well as János Vitéz's study and the early Gothic Castle Chapel.

The recently rebuilt Mária Valéria Bridge provides a direct link to Slovakia.

Auf dem Burgberg stand seit dem 11.Jh. die Adalbert Kirche, nördlich von ihr wurde die Kathedrale nach Plänen von János Packh und József Hild gebaut. Sie war zwischen 1822-69 die größte Kirche Ungarns. Zur Einweihung der 100m hohen, 118m langen und 49m breiten klassizistische Basilika komponierte Franz Liszt die „Esztergomer Messe“ und dirigierte sie 1856 selbst. Das auf Stoff gemalte Altarbild des Hauptaltars ist eines der größten der Welt.

An der Südseite öffnet sich die 1506-11errichtete Bakócz-Kapelle, ein Relikt der Renaissance. Unter der Kuppel ist die reichste Schatzkammer, in der kirchliche Schmuckstücke ausgestellt werden, darunter sind das silberne Krönungskreuz, der Kelch des Benedek Suky, die Kalvaria von König Mátyás, und ein Messgewand in Báthori-Art.

Der mittelalterliche Königspalast steht in der Nachbarschaft der Basilika. Zuerst war er Residenz von Géza, sein Sohn, der Hl. Stephan lies ihn erweitern und der König Béla III. baute einen größeren, repräsentativen Palast dazu. Anfang des 13.Jh. sind die Gebäude in den Besitz des Erzbistums gekommen. Der Erzbischof János Vitéz baute zusätzliche Gebäude im renaissance Stil. Erhalten geblieben sind das älteste Wohnzimmer des Landes, in dem Beatrix, die Gattin des Königs Mátyás lebte, das Arbeitszimmer von János Vitéz und die frühgotische Burgkapelle.

Die neuaufgebaute Maria-Valéria-Brücke ist die direkte Verbindung zur Slowakei.

CAPUT, MATER ET MAGISTRA ECCLESIARUM HUNGARIAE
4

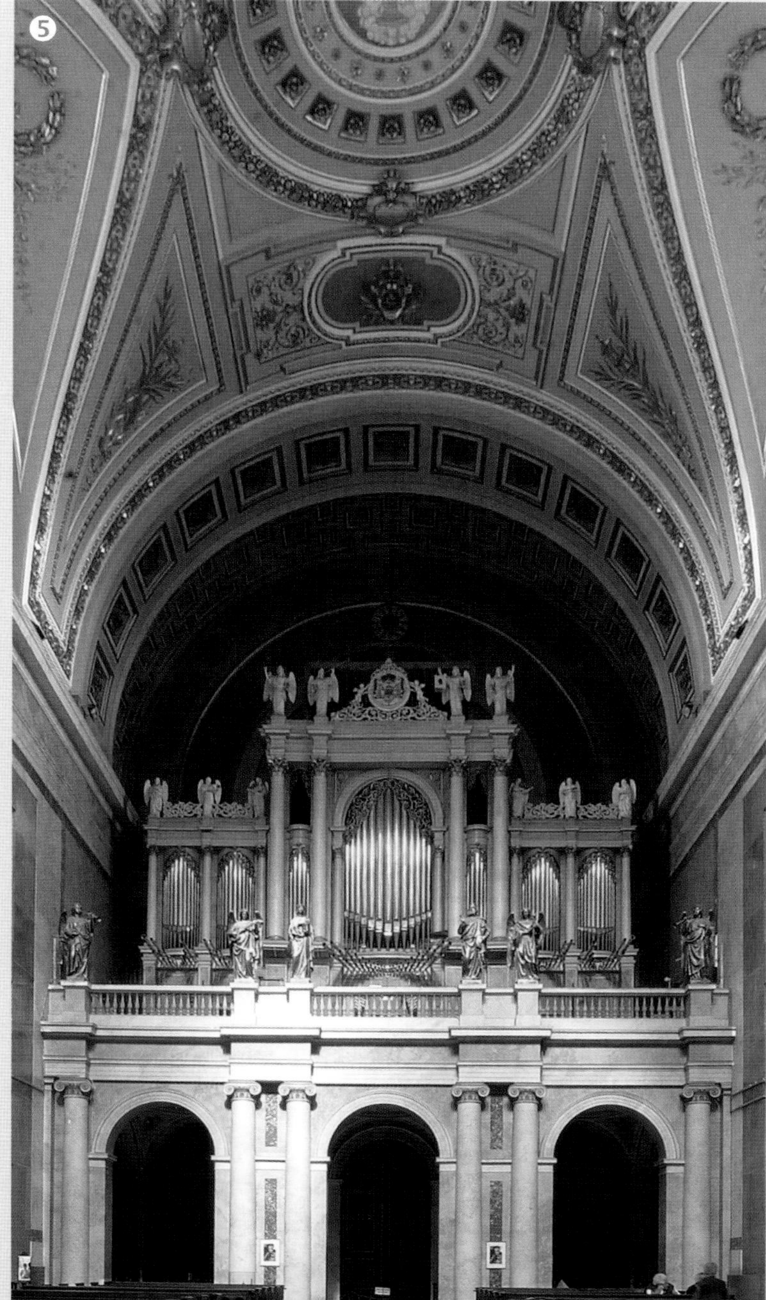
5

6

7

ISEGRÁD

56–57

A festői szépségű Dunakanyar (5) római eredetű városa a honfoglaló magyarság fejedelmi szállásterületéhez tartozott. Itt volt a kialakuló vármegyerendszer egyik első központja.

A Salamon-torony (2; 3) az alsóvár francia mesterek által épített része. Lakótorony volt, állítólag Mátyás király egy ideig itt tartotta fogva Drakulát. Ma múzeum, az Anjou-kútház, a Mátyás kori reneszánsz kőfaragványok láthatók benne.

A Fellegvár (1) IV. Béla idején épült, az Anjou-korban felépültek a palotaszárnyak, a védősikátor, a várárok és az alsó várudvar, Zsigmond idején a külső várfalrendszer és keleti kaputorony, végül Mátyás király teszi teljessé a várudvar körülépítését, új lovagtermet is emeltetett. A török időkben többször ostromolták, Lipót császár romboltatta le. Látnivalói egész évben megtekinthetők. A középkori ország egyik legnagyobb épületegyüttesét Károly Róbert idején építették. 1335-ben itt találkozott a magyar, a lengyel, a cseh király, Bécstől és a nyugati kereskedőktől független szerződést kötöttek. 1355 után Nagy Lajos király ide helyezte vissza udvarát, jelentősen kibővítette az épületegyüttest.

Mátyás király Európa egyik legnagyobb reneszánsz palotáját építette itt fel, amelynek ma már csak a romjai (4) tekinthetők meg.

This picturesque town on the Danube bend dates from Roman times and belonged to the Hungarian royal family at the time of the Hungarian settlement.

The Solomon Tower in the lower castle is the work of French masterbuilders. It served as a lookout tower, and according to legend King Mátyás kept Dracula here as a prisoner for a time. Now a museum, it includes the Anjou well and Renaissance stone carvings from the time of King Mátyás.

The citadel was built during the reign of Béla IV and during the Anjou period the palace wing was built up, as well as the defensive passageway, the castle ditch and the lower court. King Zsigmond added the external defensive walls and the eastern barbican, and finally Mátyás completed the buildings around the castle courtyard and constructed the Knights' Hall. The castle was often besieged during the Turkish invasions and was destroyed by the Emperor Leopold. The castle sites can be visited all the year round. The building complex, one of the largest medieval buildings in Hungary, was built in the reign of Károly Róbert and in 1335 the Hungarian, Czech and Polish kings met here and signed a treaty independent of Vienna and the traders from Western Europe. After 1335 Lajos the Great brought his court back here and significantly expanded the buildings.

King Mátyás built one of Europe's largest Renaissance palaces here, but today, only the ruins are visible.

Die Stadt mit römischem Ursprung im malerischen Donauknie gelegen, ist bereits von den Landeroberern besiedelt worden. Hier entstand die erste Zentrale der Landvogtei (Komitat)

Der Salamon-Turm ist ein Teil der unteren Burg, er wurde von französischen Meistern gebaut. Er war ein bewohnbarer Turm und man vermutet, dass König Mátyás hier Drakula gefangen hielt. Heute ist er Museum, hier werden Steinmetzarbeiten aus der Mátyászeit ausgestellt und das Anjou-Brunnenhaus ist zu besichtigen.

Die Zitadelle stammt aus der Zeit von Béla IV. In der Anjouzeit wurden die Palastflügel, der Burggraben, Wehrgang und der untere Burghof gebaut. In der Zeit von Zsigmond sind die äußere Burgmauer und der östliche Torturm entstanden. König Mátyás hat das Areal fertiggestellt und einen neuen Rittersaal gebaut. In der Türkenzeit wurde die Burg mehrmals angegriffen und Kaiser Leopold hat sie zerstört.

Der größte Gebäudekomplex der mittelalterlichen Stadt stammt aus der Zeit von König Károly Róbert. Der polnische, ungarische und tschechische König unterzeichnete hier 1335 einen Vertrag, der die Unabhängikeit von Wien und dem westlichen Handel bestimmte. Nach 1355 hat der König Lajos d. Gr. seinen Hof hierher verlegt und die Gebäude erweitert.

König Mátyás hat hier Europas größten Renaissancepalast gebaut, in dessen Ruinen heute, jeweils im Juli, die Palastfestspiele stattfinden.

58–59

A török elől menekülő szerbeknek a 17. század végén egyházi és kultúrközpontja volt Szentendre. A 18. században a szerbek több barokk stílusú templomot építettek a római korból már ismert településen: a Pozsarevacskát, amelynek ikonosztázát valószínűleg még a 17. században Szerbiában állították össze; a Péter-Pál-templomot – eredetileg Csiprovacskának nevezték –, amely az első világháború óta a katolikusoké, értékes ikonosztázát pedig Macedónia egyik legrégebbi templomába szállították; a Blagovesztenszkát, a Fő tér (1) valószínűleg Mayerhoffer András tervezte templomát, egy budai szerb festő alkotta ikonosztázával; az Opovacskát, amit most a reformátusok birtokolnak; s a legjelentősebbet, a Belgrád görögkeleti püspöki székesegyházat (8), falában Vujicsics Tihamér zeneszerző sírkövével; valamint a Preobrazsenszkát kiemelkedő értékű ikonosztázával.

A római katolikus plébániatemplom (6) gótikus, barokk stílusú, a 14. században épült, a 15. században bővítették. A megrongálódott templomot a 18. században a mai formájában állították helyre.

A város leglátogatottabb vonzerői: a Kovács Margit Múzeum (2; 3), a 20. századi magyar és európai kerámiaművészet kiemelkedő alkotójának hatalmas anyaga; és az Országos Szabadtéri Néprajzi Múzeum (4; 5), az ország több tájegységének népi építészeti emlékeinek hatalmas tárháza.

Szentendre became a cultural and ecclesiastical centre for Serbs escaping from the Turks at the end of the 17th century. In the 18th century the Serbs built many Baroque style churches in this settlement which had been occupied in Roman times. These included Pozsarevacká, whose iconostasis was probably created in Serbia in the 17th century; the Church of Saints Peter and Paul, originally known as the Csiprovacská, which has been a Catholic church since the First World War, and whose iconostasis was transported to one of Macedonia's oldest churches; the Blagovestenska in the main square, probably the work of András Mayerhoffer and containing an iconostasis by a Serbian painter from Buda; the Opovacska, which is now owned by the Calvinist Church; and most significantly, the cathedral church of the Bishopric of Belgrade, with its memorial plaque to the composer of religious music, Vujicsics Tihamér. Also worthy of mention is the Preobrazsenska with is notable iconostasis.

The Gothic and Baroque style Catholic parish church was built in the 14th century and enlarged in the 15th. The damaged church took its present form in the 18th century.

The most interesting features of the town for the visitor are probably the Margit Kovács Museum, which contains the huge collection of one of the leading figures in Hungarian and European ceramic art, and the National Openair Folklore Museum, an extensive collection featuring folklore from the different regions of Hungary.

Für die Serben, die vor den Türken fliehen mussten, war Szentendre Ende des 17. Jh. die kirchliche und kulturelle Zentrale. Im 18. Jh. haben die Serben, auf dem schon zur Römerzeit besiedelten Gebiet, mehrere Barockkirchen errichtet: Die „Pozsarevacska", deren Ikonostase wahrscheinlich in Serbien zusammengestellt wurde, die „Csiprovacska", die nach dem ersten Weltkrieg von den Katholiken in Peter&Paul-Kirche umbenannt wurde und deren Ikonostase in die älteste Kirche Mazedoniens überführt wurde, die „Blagovesztenszka" am Hauptplatz, entworfen von András Mayerhoffer mit der Ikonostase eines serbischen Malers aus Buda, die „Opovacska", die jetzt den Reformierten dient, die „Belgrád", die griechisch-orthodoxe Patriarchen Kathedrale, in deren Wand eine Grabplatte des Komponisten Tihamér Vujicsics ist, sowie die „Preobrazsenszka" mit ihrer außergewöhnlichen Ikonostase.

Die römisch-katholische Stadtkirche ist im gotisch, barocken Stil des 14. Jh. erbaut und im 15. Jh. erweitert worden. Die zerstörte Kirche wurde im 18. Jh. in ihrer heutigen Form wiederaufgebaut.

Die meistbesuchte Ausstellung ist das Margit Kovács Museum, das die Arbeiten der europaweit bekannten Keramikkünstlerin des 20. Jh. würdigt. Das Freilichtmuseum Skanzen (Országos Szabadtéri Néprajzi Múzeum) führt durch die traditionellen Lebens- und Bauweisen der ungarischen Siedlungsgeschichte.

5

4

6

7

8
CD
CAFE

ZSÁMBÉK

A romtemplom helyén a premontreiek templomát (3) a 13. század húszas éveitől a század közepéig építették román és kora gótikus stílusban. A 15. század második felében az új tulajdonosok, a pálosok késő gótikus kerengőt építettek hozzá. 1763-ban egy földrengés megrongálta, a 19. század végén kiegészítették és konzerválták. A templom háromhajós, bazilikális elrendezésű, zömök román tornyokkal, oromfala közepén rózsaablak. A kerengőből kevés maradvány látható. A kolostor épen maradt helyiségeiben kőtárat rendeztek be a templom és a kolostor leomlott faragott köveiből.

A várkastély (1) a 14. században épült, majd Mátyás király fia, Corvin János birtokolta. A 16–17. században török végvár volt. A török hódoltság után a Zichy család birtoka lett, a 18. században barokk stílusban, majd a 19. században újra átalakították. Ma tanítóképző főiskola. A magántulajdonban lévő lámpagyűjtemény (4) egy falusi házban látható. Különleges érték a török kút (5).

Zsámbékkal egybeépült Tök, amelynek határában a lovas programjairól híres töki csárda áll, mellette a régi pinceegyüttes-múzeum.

On the site of the site of church ruins the Premonstratensian Church was built in the second quarter of the 13th century in Romanesque and early Gothic style. In the second half of the 15th century, the new owners, the Pauline order, built late-gothic cloisters around the church. The buildings were severely damaged in 1763 by an earthquake and at the end of the 19th century they were renewed and preserved. The church has a triple-aisle and a basilical form with a squat Romanesque tower and a rose window in the middle of the gable. Very little remains of the cloisters today and the site of the monastery was used to store the stones and carvings which had fallen from the church.

The castle mansion was built in the 13th century and was owned by János Corvin, the son of King Mátyás. In the 16th and 17th century it was a Turkish frontier fort. After the Turkish occupation the mansion came into the possession of the Zichy family and in the 18th century it was converted in Baroque style, and in the 19th century converted again. Today it is a teacher training college. One of the houses in the village has an interesting private collection of lamps, and the village is also noteworthy for a Turkish well.

Zsámbék was built together with another settlement, Tök, and on the edge of this settlement is a well known horse-riding centre, with its own inn and cellar-museum.

An Stelle der Ruinen der Römerkirche haben die Prämostratenser Mönche von ca. 1320–50 eine Kirche im gotischen Stil erbaut. Ende des 15. Jh. bauten die neuen Besitzer, die Paulaner, einen spätgotischen Kreuzgang dazu. Um 1763 wurde das Kloster durch ein Erdbeben beschädigt und Ende des 19. Jh. tlw. rekonstruiert und konserviert. Die Kirche ist dreischiffig, im Stil einer Basilika mit wuchtigen romanischen Türmen und hat in der Mitte des Giebels ein Rosenfenster. Vom Kreuzgang blieben nur Reste. In den erhaltenen Räumen des Klosters befindet sich eine Sammlung der bearbeiteten Steine aus der Kirchen- und Klosterruine.

Das Burgschloß wurde im 14. Jh. gebaut, es gehörte dem Sohn des Königs Mátyás, János Corvin. Im 16. und 17. Jh war es eine türkische Grenzfestung. Nach der Türkenherrschaft kam es in den Besitz der Fam. Zichy. Im 18. Jh. wurde es im Barockstil umgebaut und im 19. Jh. modernisiert. Heute ist es ein Lehrerseminar. Die Lampensammlung, in Privatbesitz, kam man in einen Dorfhaus sehen. Der türkische Brunnen ist erwähnenswert.

Zsámbék ist mit Tök vereinigt und auf deren Grund ist die berühmte Töki-Csárda, bekannt für ihre Pferdevorführungen und daneben ist das alte Kellereimuseum.

2

1

EMLÉKÉRE

3

4

5

PANNONHALMA

62–63

Az első bencés szerzetesek Géza fejedelem hívására érkeztek ide 996-ban. Géza rakta le a Szent Márton-bazilika alapjait, Szent István építette tovább, 1001-ben szentelték fel a monostorral együtt (3). Szent István innen vonult keresztény seregével a lázadó Koppány ellen. Itt tartották a pápaság és a német-római császárság béketárgyalásait 1091-ben. I. László király országgyűlést is tartott itt. A 12. század közepén II. Géza fogadta itt VII. Lajos francia királyt és III. Konrád német császárt. A mai bazilika alapját képező kőtemplomot 1137-ben építették, a bazilikát 1225-ben. A gótikus kerengőt Mátyás király építette újjá. A barokk lakosztály a 18. században épült. II. József a bencés rendet feloszlatta. I. Ferenc állította vissza, s kötelezően előírta a középiskolai oktatást. A 19. század első harmadában épült a klasszicista könyvtárépület (2) a főapátság tornyával együtt, amelynek homlokzatán a mozaikkép Szent Istvánt ábrázolja, aki átnyújtja a kiváltságlevelet az első apátnak.

A templom a román stílus és a gótika gyönyörű építménye. A 15. századi Szent Benedek-kápolna hálóboltozata és a Szűz Mária-kápolna faragott reneszánsz kapuzata különleges értékű. A főoltár és a szószék Storno Ferenc tervei szerint készült. Márványkapukon jutunk az altemplomba (4), kriptájában nyugszik Rudolf trónörökös felesége, Stefánia belga hercegnő. A márvány ülőfülke a legenda szerint Szent István ülőhelye volt (1). A középkori monostorrészekbe a főbejárat, a Porta Speciosa vezet. A könyvtár óriási értékei Szent István 1001-es kiváltságlevele és a tihanyi apátság 1055-ös alapítólevele. Gyönyörű a barokk freskókkal díszített ebédlőterem (5).

A Millenniumi emlékmű 1896-ban készült, új kupoláját Aba Novák Vilmos festette ki.

The first Benedictine monks arrived here in 996, invited by Prince Géza. Géza started the building of the St. Márton Basilica, and it was continued by St. István and finally consecrated, together with the monastery, in 1001. It was from here that St. István started out with his Christian army on his campaign against the rebel Koppány. In 1091 peace negotiations were held here between the Papacy and the Holy Roman Empire, and in the middle of the 12th century Géza II welcomed the French king Louis VII and the German Emperor Conrad III here. The stone church on the ground-plan of today's basilica was built in 1137 and the basilica itself in 1225. The Gothic cloisters were rebuilt by King Máthyás. The Baroque living quarters were built in the 18th century. Joseph II dissolved the Benedictine Order, but Francis I re-instated the Order and made secondary education compulsory. The Classical library building and the main abbey tower were built in the first third of the 19th century. On the facade is a mosaic of St. István, who issued the letter of foundation to the first abbot.

The church is a gem of Romanesque and Gothic style, particularly notable for its 15th century fan-vaulting in the St. Benedict Chapel and its carved Renaissance style portal of the Virgin Mary. The main altar and the pulpit were designed by Ferenc Storno. Through a marble entrance the visitor reaches the lower church, the final resting-place of the Belgian Countess Stefania, wife of the Hapsburg Archduke Rudolf. According to legend St. István used to sit in the marble niche. The Porta Speciosa is the main entrance to what was the former monastery. The most valuable pieces in the Library are the letter of foundation from 1001 from St. István, and the letter of foundation for the abbey at Tihany, dating from 1055. The dining room is beautifully decorated with Baroque frescoes.

The Millenium Memorial was created in 1896, and the new dome was painted by Vilmos Aba Novák.

Die ersten Benediktinermönche sind 996 einem Ruf des Géza gefolgt und haben sich hier angesiedelt. Géza legte den Grundstein zur St. Martin-Basilika, der Hl.Stephan baute sie weiter und weihte sie 1001 zusammen mit dem Kloster ein. Von hier zog der Hl. Stephan mit seinem christlichen Heer gegen den rebellischen Koppány. Hier wurden 1091 die Frie-densverhandlungen zwischen dem Papst und dem Deutsch-römischen Kaiserreich geführt. László I. hielt hier Reichsversammlungen ab. Im 12. Jh. hat Géza II. hier den französischen König Louis VII. und den deutschen Kaiser Konrad III. empfangen. Die steinerne Kirche, der Grundstock der heutigen Basilika wurde 1137 und diese erst 1225 gebaut. Den gotischen Kreuzgang hat König Mátyás neugebaut. Die barocken Wohnräume wurden im 18. Jh. ein-gerichtet. József II. hat den Benediktinerorden aufgelöst, Ferenc I. hat sie zurückgerufen und die Hauptschulpflicht eingeführt. In der ersten Hälfte des 19. Jh. wurde das klassizistische Bibliotheksgebäude zusammen mit dem Turm der Hauptabtei gebaut. Auf dem Giebel zeigt ein Mosaikbild, den Hl. Stephan bei der Übergabe seines Privilegbriefes an den Abt.

Die Kirche ist ein schönes Gebäude im romanischen und gotischen Stil. Besonderen Wert hat das Netzgewölbe der St. Benedikt-Kapelle und das geschnitzte Renaissancetor der Jungfrau Maria-Kapelle. Der Hauptaltar und die Kanzel wurden nach Plänen von Ferenc Storno gemacht. Durch ein Marmortor kommt man zur Unterkirche in deren Krypta die belgische Herzogin Stephania, die Frau des Thronfolgers Rudolf, ruht. Der Legende nach, war die Marmorsitznische der Sitzplatz des Hl. István. Die mittelalterlichen Klosterteile betritt man durch die „Porta Speciosa". In der Bibliothek sind der besonders wertvolle Privilegsbrief des Hl.István von 1001 und der Grundbrief der Tihany-Abtei von 1055. Wunderschön ist der mit Barockfresken geschmückte Speisesaal.

Die Neue Kuppel des Millenniumsdenkmals von 1896 hat Vilmos Aba Novák ausgemalt.

KŐSZEG

64–65

A mintegy 15 ezer lakosú város történelmi nevezetessége a 13. század végén már több oklevélben említett vár (1). Öt tornyából már csak kettő látható. A 15. század első felében a Garai család birtokolta, akkor épültek késő gótikus részei. Mátyás király a 15. század második felében reneszánsz stílusban bővítette a várat, amelyet 150 évig a Habsburgok birtokoltak, s akkor újabb erődítési munkálatok folytak itt. A vár leghíresebb kapitánya, Jurisics Miklós 1532-ben a Bécs ellen vonuló százezres török sereggel szemben védte sikerrel a várat, ezért I. Ferdinánd király a város földesurává tette. 1695-től a várat az Esterházy család birtokolta 1931-ig. Akkor a honvédség vette meg laktanyának. Ma a Jurisics Miklós Múzeum otthona (1).

A Szent Jakab-templom (4) a 15. század elején épült késő gótikus stílusban. A homlokzati fülkében Szent Jakab 18. századi szobra áll. A barokk főoltárt 1693-ban, a szószéket és a faragott padokat a 18. század elején készítették.

A Szent Imre-templom (5; 6) a 17. század elejéről való, ma gótizáló késő reneszánsz épület hagymasisakos toronnyal. Főoltárképét ifj. Dorfmeister István festette 1805-ben.

A Sgraffitós (2) ház nevét a homlokzati díszítéséről kapta. A sgraffitó 16–17. századi. A ház emeleti helyiségeinek a stukkódíszítése és bibliai témájú mennyezetfreskói figyelemre méltóak.

A Városháza (3) eredetileg gótikus stílusban épült a 15. században, a 17. században reneszánsz stílusban átépítették. Az 1710-es tűzvész után barokk stílusban építették újjá. Akkor festették a Jurisics család homlokzati, a történelmi Magyarország kiscímerét és a város címerét. Közöttük Magyarország védasszonya a gyermek Jézussal és a Szent István király falikép látható.

A patikaházban 1777-től működött patika, ma eredeti berendezésével múzeum.

1

15 000 people live in this town whose castle was already mentioned in various historical documents at the end of the 13th century. Of the castle's original five towers, only two survive. At the end of the 15th century the castle was owned by the Garai family, and it was at this time the late Gothic parts were built. In the second half of the 15th century King Mátyás expanded the castle in Renaissance style, which was then for 150 years in the possession of the Hapsburg family, who continued the fortification work. The most famous commander of the garrison was Miklós Jurisics, who in 1532 successfully obstructed the progress of a 100 000 strong Turkish army on its way to Vienna, and was consequently granted possession of the town by the Emperor Ferdinand I. From 1695 to 1931 the castle was in the possession of the Esterházy family. It was then used as an army barracks and is now home to the Miklós Jurisics Museum.

The church of St. Jacob was built at the beginning of the 15th century in late Gothic style. An 18th century statue of St. Jacob stands in the niche in the facade. The Baroque main altar dates from 1693, while the pulpit and the carved pews are from the 18th century.

The church of St. Imre dates from the beginnings of the 17th century and is now a gothicising late Renaissance building with onion-domed tower. The main altar was painted by István Dorfmeister the Younger in 1805.

The Sgraffito House gets its name from its decorated facade which dates from the 16–17th centuries. The upper floor of the house features interesting stuccoes and ceiling frescoes with Biblical themes.

The Town Hall was originally built in Gothic style in the 15th century, but was later rebuilt in the Renaissance style in the 17th.. After the fire of 1710 it was rebuilt in Baroque style, and it was at this time that Jurisics family facade, the crest of the old Hungarian Kingdom and the town's crest were painted. Also visible are the patron saint of Hungary with the baby Jesus and the King István.

The old pharmacy was in operation from 1777, and now it has become a museum.

2

Die Burg der Stadt mit 15000 Einwohnern wurde bereits im 13.Jh. in mehreren Urkunden erwähnt. Von den geschichtlichen Sehenswürdigkeiten, den fünf Türmen der Burg sind nur noch zwei erhalten. Im Besitz der Fam. Garai wurden im 15. Jh. die spätgotischen Teile gebaut. In der zweiten Hälfte des 15. Jh. hat König Mátyás die Burg im Renaissance Stil erweitert, daraufhin gehörte die Burg für 150 Jahre den Habsburgern und sie verstärkten die Anlage. Der berühmteste Hauptmann der Burg, Miklós Jurisics, verteidigte 1532 die Stadt gegen das mit 100 000 Mann nach Wien stürmende Türkenheer und wurde deshalb von Ferdinand I. mit dem Lehen der Stadt belohnt. Seit 1695 war die Burg im Besitz der Esterházy, 1931 wurde sie vom Militär erworben und als Kaserne genutzt. Heute ist darin das Miklós-Jurisics-Museum.

Die St. Jakab Kirche wurde im 15. Jh. im spätgotischen Stil gebaut. Der barocke Hauptaltar ist aus 1693. Der Predigtstuhl und die geschnitzten Bänke sind im 18.Jh. angefertigt worden. In der Giebelnische steht die Statue des St. Jakab aus dem 18. Jahrhundert.

Die St. Imre Kirche aus dem 17. Jh. ist heute eine spätrenaissance Kirche mit Zwiebelturm. Das Bild des Hauptaltars malte 1805 der jüngere István Dorfmeister.

Das Haus „Sgrafittó" erhielt seinen Namen nach der Verzierung des Giebels aus dem 16–17. Jh. Beeindruckend sind die Stuckverzierungen und die Deckenfresken mit biblischen Motiven im ersten Stock.

Das Rathaus der Stadt im gotischen Stil aus dem 15., wurde im 17. Jh. im Renaissance Stil umgebaut. Nach dem Brand von 1710 wurde es im Barockstil neugebaut. Auf den Giebel wurde das Wappen der Fam. Jurisics, das geschichtliche Kleinwappen von Ungarn und das Stadtwappen gemalt. Dazwischen sind die Wandbilder, der Schutzheiligen Ungarns „Maria mit dem Jesuskind" und des Hl. Stephan.

Das Apothekenhaus aus dem Jahre 1777 ist heute, mit seiner ursprünglichen Einrichtung ein Museum.

HERMANN KRISTÁLY
156

SZOMBATHELY

66–67

A város elődje, a római Savaria központja, a Romkert (5; 7). 1938-ban bukkantak rá az első római maradványokra. Az ásatások során találták meg a római útmaradványokat (2), a császári palota növény- és mértani díszes mozaikos nagytermét. Ezek 4. századi pannóniai művészeti emlékek. Feltárták a középkori várat is. Az Iseum a 2. század végén alakult ki. A nagy oszlopcsarnok a 3. század közepén készült el. A 456-os földrengés az épületek nagy részét tönkretette. Ma a szentély homlokzati része látható helyreállítva, és néhány oszlop a nagy csarnokból.

A püspöki palota (1) Hefele Menyhért tervei szerint épült a 18. század második felében copf stílusban. Belsejében Dorfmeister István és Anton Maulbertsch faliképei csodálhatók meg. Földszinti termében (4) nyílt meg hazánk első régészeti múzeuma, elsősorban értékes római leletekből. A közelben áll Berzsenyi Dánielnek, a 19. század első harmada nagy költőjének a szobra.

A székesegyház (3) 1791–1814 között épült Hefele Menyhért tervei szerint copf stílusban. Az oromzaton a hit, remény, szeretet allegorikus szobra látható. A mellékoltár képeit Feszty Masa, Dorfmeister István, Takács István festette. A főoltárt is Hefele Menyhért tervezte, az oltárkép Takács István mezőkövesdi festő alkotása.

A Múzeumfaluban (6) 18–19. századi Vas megyei falvak épületegyütteseit tekinthetjük meg.

The predecessor of the town was the Roman centre of Savaria, in today's Romkert, or Ruin Gardens. The first Roman remains were unearthed in 1938, and during the course of the excavations remains of a Roman street and the hall of an Imperial Palace decorated with plant- and geometric mosaics were found. These were the artistic products of 4th century Pannonia. (The remains of the medieval castle were also discovered.) The Iseum took shape at the end of the 2nd century, and the large columned hall dates to the middle of the 3rd century. The buildings were largely destroyed by the earthquake of 456. Today the facade of the sanctuary has been partially renovated, as have some of the columns from the large hall.

The Bishop's Palace was designed by Menyhért Hefele in Copf style and dates from the second half of the 18th century. Inside are the spectacular wall paintings of István Dorfmeister and Anton Maulbertsch. On the ground floor is Hungary's first archaeological museum, containing mainly valuable Roman artefacts. Nearby is a statue of Dániel Berzsenyi, the great poet from the first third of the 19th century.

The cathedral church was built between 1791 and 1814 in Copf style on plans drawn up by Menyhért Hefele. On the gable there is an allegorical statue of Faith, Hope and Charity. The altar side paintings are the work of Masa Feszty, István Dorfmeister, and István Takács. The main altar was designed by Hefele Menyhért, and the altar painting is by István Takács, the artist from Mezőkövesd.

In the Museum Village the 18th–19th century Vas County village building collection can be seen.

Der Mittelpunkt, des aus der Römerzeit stammenden Savaria, ist der Ruinengarten. 1938 entdeckte man römische Überreste. Während der Ausgrabung fand man Reste der Römer-straßen und das mit Pflanzen- und geometrischen Ornamenten geschmückte Mosaik im großen Saal des Kaiserpalastes. Dies sind Erinnerungen an das 4. Jh. der pannonischen Kunst. Auch die mittelalterliche Burg wurde aufgedeckt. Ende des 2. Jh. wurde Iseum gegründet. Die große Säulenhalle ist im 3. Jh. fertig geworden. Das Erdbeben von 456 hat große Teile des Gebäudes zerstört. Den restaurierten Giebel und einige Säulen kann man sehen.

Der Bischofspalast wurde in der zweiten Hälfte des 18. Jh. im Zopfstil nach Plänen von Menyhért Hefele gebaut. Im Innern sind die Wandbilder von Anton Maulbertsch und István Dorfmeister. In den Räumen des Erdgeschoßes wurde das erste ungarische, archäologische Museum, hauptsächlich mit römischen Funden eröffnet. In der Nähe steht die Statue des Dániel Berzsenyi, eines Dichters aus dem 19. Jahrhundert.

Die Kathedrale wurde von 1791–1814 im Zopfstil nach Plänen von Menyhért Hefele gebaut. Auf dem Giebel sind die allegorischen Figuren Glaube, Hoffnung und Liebe. Die Bilder des Nebenaltars stammen von Masa Feszty, István Dorfmeister und István Takács. Der Hauptaltar wurde auch von Menyhért Hefele geplant, das Altarbild ist ein Werk des Kunstmalers István Takács aus Mezőkövesd.

Im Museumsdorf sind Gebäude aus dem 18–19. Jh. des Landkreises Vas aufgebaut.

4

5

6

7

JÁK

A falu központjában kimagasló dombon áll a hazai Árpád-kori építészet egyik legszebb, legértékesebb alkotása, a bencés apátsági templom. Az apátságot 1214-ben alapította a Ják nemzetségbeli Márton. A kegyúri, nemzetségi templomot 1256-ban szentelték fel. Kőszeg ostromakor a törökök megrongálták, később a környékbeliek felgyújtották a templomot, amelyet villámcsapás is sújtott. Schulek Frigyes a 19–20. századfordulón eredeti szépségében állította helyre. A templom homlokzatát két torony ékíti. A főhomlokzat legszebb része a bélletes kapu, amely a szobrokkal díszített háromszögű oromzattal lezárt homlokfalból és a befelé mélyülő kapubélletből áll. A szobrokat hordozó kapuépítményt a második építési periódusban építették fel a homlokzattal együtt. A falsíkban kétoldalról fülkék helyezkednek el. A kisfülkékben középen Krisztus, kétoldalt öt-öt apostol szobra áll. A szobrok egy műhely alkotásai, ezt bizonyítja a ruharedők egységes faragása. A Krisztus és a két mellette lévő apostolszobor eredeti, a többi szobor feje nagyrészt barokk kiegészítés. A templom északi felét hármas féloszlopkötegek tagolják, lábazatukat állatfigurák díszítik. A keleti homlokzat dísze az oroszlános trónuson ülő mellszobor, kezében liliomos jogarral. A belső főbejárat fölött uraság karzat van. Az orgona mögött a falon a nemzetségfő és háza népe számára szolgáló, lóhere záródású, hármas ülőfülke található. A falfestményekből csak a szentélyfalon és a déli toronyaljban maradtak meg részletek. A szentélyben a templom védőszentjének, Szent Györgynek a sárkánnyal vívott harcát ábrázolták. A déli toronyalja falait díszítő freskón a templomot alapító család tagjai imádkoznak. Az öt férfi közül középen az építtető Jáki Nagy Márton látható. Az egyik mellékoltáron áll a XV. századi Madonna-faszobor.

A Szent Jakab-kápolna 1260 körül épült Szent Jakab tiszteletére. A község plébániatemploma volt. Nagyon értékesek a 18. századi oltárai.

In the centre of the village, standing on top of a hill, is the church of the Benedictine Abbey, one of the finest examples of Hungarian architecture from the time of the Árpáds (10th–14th centuries). The abbey was founded in 1214 by the aristocratic Márton family from Ják. The family church was consecrated in 1256. The Turks destroyed the church during the seige of Kőszeg. The church was later rebuilt by the local community and struck by lightning. At the beginning of the 20th century Frigyes Schulek restored the building to its original beauty. The main facade of the church is decorated by two towers, but the finest feature of the facade is the ornamental arch of the entrance comprising a front section topped with a triangular gable decorated with statues and a series of arches leading into the church. The door section with the statues was completed at the same time as the front section and on the side walls are two niches. The niches feature statues of Christ in the centre and five apostles on either side. The statues are the work of one workshop, as can be seen from the carvings on the pleats of the robes. The northern wall of the church is divided by three half-columns, their plinths decorated with animal figures. The eastern facade is decorated with a bust on a lion throne, holding a lilied sceptre. Above the main entrance is an aristocratic gallery. On the wall behind the organ are three sediles closed off by clover designs featuring the leading aristocratic and national families. Of the wall paintings details can only be seen today on the sanctuary wall and at the foot of the southern tower. In the sanctuary, St. George, the patron saint of the church, can be seen fighting with the dragon. At the foot of the southern tower the frescoes feature members of the family which founded the church, at prayer. In the centre of the five men is the founder, Márton Nagy of Ják. On one of the side altars stands a 15th century wooden statue of the Madonna.

The St. James Chapel was built in honour of St, James in 1260, and served as the parish church for the local community. Of great interest is the 18th century altar.

Auf dem Hügel, in der Mitte des Dorfes, steht die Benediktiner-Abteikirche, das schönste und wertvollste Werk der Architektur der Árpádzeit. Die Abtei wurde 1214 von Márton aus dem Stamme der Ják gegründet. Diese Stammeskirche wurde 1256 eingeweiht. Bei der Schlacht von Kőszeg wurde sie von den Türken zerstört, der Rest von der Bevölkerung zündete sie an und danach schlug noch der Blitz ein. Frigyes Schulek hat sie 19–20. Jh. in ihrer ursprünglichen Schönheit wiederaufgebaut. Der Kirchengiebel wird von zwei Türmen eingefasst. An dem sich nach Innen verjüngenden Eingangtor sind Figuren. Dieses Tor wurde im zweiten Bauabschnitt zusammen mit dem Giebel gebaut. Auf beiden Seitenwänden sind Nischen, in der kleinen, mittigen ist eine Christusfigur und in den seitlichen stehen jeweils 5 Apostelfiguren. Die Statuen entstammen einem Werk, das wird an dem besonderen Faltenwurf der Bekleidung erkannt. Die Christus, sowie die zwei danebenstehenden Apostel sind Originale. Die Köpfe der anderen Figuren wurden im Barockstil nachgemacht. Der nördliche Teil der Kirche wird durch drei Halbsäulenbündel geteilt, deren Sockel Tierfiguren schmücken. Der östliche Giebelschmuck ist eine sitzende Figur auf einem Löwenthron, die ein Lilienzepter in der Hand hält. Innen, über dem Haupteingang ist eine herrschaftliche Empore. An der Wand, hinter der Orgel, ist eine Dreiersitznische mit Kleeblattverzierung für den Stammesführer und seine Familie. Von den Wandgemälden beim Sanktuarium und am Fuß des Turms sind noch Teile erhalten. Im Sanktuarium ist der Schutzheilige der Kirche, St. Georg im Kampf mit dem Drachen dargestellt. Die Fresken im südlichen Turm zeigen die Familienmitglieder des Kirchengründers beim Beten. In der Mitte der fünf Männer ist Márton Jáki Nagy, der Stifter der Kirche zu sehen. Auf einem Nebenaltar steht die hölzerne Madonnenfigur aus dem 15. Jahrhundert.

Die St. Jakobs-Kapelle wurde zu Ehren des Hl. Jakob um 1260 gebaut. Die Hauptkirche des Ortes beherbergt einen wertvollen Altar aus dem 18. Jahrhundert.

SÁRVÁR

A honfoglalás után földvár, majd a 12. században kővár volt a településen. A 16–17. században a vár és a város ura a főúri Nádasdy család volt. Sárvár akkor a dunántúli művelődés központja lett. Ott nyomtatták 1541-ben az első magyar nyelvű könyvet, Sylvester János fordításában az „Újszövetséget”.

A Nádasdy-vár a középkori vár helyén épült a 16. században, reneszánsz stílusban. A várban többször járt Tinódi Lantos Sebestyén, később ott is halt meg. Az ötszögű erődítményt többször átépítették. A kaputoronyhoz vezető híd a 19. században épült. A kosáríves kapu 16. századi. A várban a Nádasdy Ferenc Múzeum Sárvár történetét mutatja be. A díszterem mennyezetét Nádasdy Ferenc, a „Fekete bég” győztes csatáinak a freskói díszítik. A stukkók olasz mester munkái. A két mennyezetkép történelmi hűséggel ábrázolja a magyar, a német, a spanyol és a török viseleteket, valamint fegyverzetet. A díszterem oldalfalain Dorfmeister István freskói láthatók.

Az arborétum helyén a 18. században mocsaras terület volt, emlékei a park 300 éves mocsári tölgyei. Az arborétum különleges értékei a tiszafa, a japán magnólia, a piramistölgy, a ricinuslevelű tüskefa, a japán stóraxfa és a gyönyörű rododendronok.

Termál- és gyógyfürdőjét a 44 °C-os alkáli-hidrogénkarbonátos vízzel táplálják, amely mozgásszervi betegségekre és utókezelésekre javallott.

After the Hungarian settlement there was an earth fort here, later in the 12th century a stone castle was built. From the 16th–17th century the lords of the castle and the town were the Nádasdy family. At this time Sárvár became the artistic centre of Transdanubia, and the town saw the printing of the first book in Hungarian in 1541: János Sylvester's translation of the New Testament.

Nádasdy castle was built in Renaissance style in the 16th century on the site of the medieval castle. The castle was frequently visited by Sebestyén Tinódi Lantos, who later died here. The pentagon-shaped castle was rebuilt many times and the bridge leading to the barbican was added in the 19th century. The gate with its three-centred arch was built in the 16th century. The Ferenc Nádasdy Museum in the castle shows the history of Sárvár. On the ceiling of the ceremonial hall there are frescoes celebrating the victories of Ferenc Nádasdy, the “Black Beg”. The stuccoes are the work of Italian masters and the two ceiling pictures faithfully reproduce the clothing and weapons of the Hungarian, German, Spanish and Turkish troops. On the side walls of the ceremonial hall are frescoes by István Dorfmeister.

In the 18th century the area of the arboretum was a marsh, and the park's 300-year old swamp oaks are a reminder of this. The arboretum is especially noteworthy for its yew tree, its Japanese magnolia, its pyramid oak, its castor-leaved thorn tree, its Japanese storax and its beautiful rhodadendrons.

The medicinal baths, with their 44 °C alkaline-hydrocarbon waters, are ideal for patients suffering from and recovering from motor diseases.

Nach der Landeroberung stand erst eine Erdburg und im 12. Jh. baute man eine Festung bei dem heutigen Ort. Im 16–17. Jh. war die Hochadlige Familie Nádasdy der Besitzer von Burg und Stadt. Damals war Sárvár der Mittelpunkt der Transdanubischen Kultur. Hier wurde 1541 das erste Buch, das von János Sylvester ins ungarische Übersetzte „Neue Testament“ gedruckt.

Die Nádasdy-Burg wurde im 16. Jh. anstelle der Festung im Renaissance Stil gebaut. Der Troubadour Sebestyén Tinódi Lantos besuchte öfters die Burg und kam hier zu Tode. Die fünfeckige Wehrburg wurde öfters umgebaut. Die zum Torturm führende Brücke wurde im 19. Jh. gebaut. Das korbbogen Tor stammt aus dem 16. Jh. In der Burg zeigt das Ferenc Nádasdy-Museum die Geschichte Sárvárs. Die Decken im Prunksaal schmücken die Fresken von Ferenc Nádasdy mit Darstellung der gewonnenen Schlacht gegen „Fekete bég“ dem Schwarzen Anführer der Türken. Der Stuck ist von italienischen Meistern. Die zwei Deckenbilder zeigen originale ungarische, spanische, deutsche und türkische Uniformen und Waffen. An den Seitenwänden des Prunksaales sieht man die Fresken von István Dorfmeister.

Die dreihundertjährigen Sumpfeichen des Parkes erinnern noch an den Urwald, vor der Anlegung des Arboretums im 18. Jh. Einige Besonderheiten dieses botanischen Gartens sind die Eiben, die japanischen Magnolien und Storaxbäume, die Pyramideneichen, der rhizinus-blättrige Dornenbaum und die wunderschönen Rhododendren.

Das Thermal- und Heilbad wird mit dem 44 °C warmen, Alkali-,Natrium-,Hydrogen-karbonathaltigen Wasser gespeist, das zur Heilung und Rehabilitation bei Bewegungs-störungen empfohlen wird.

ÁPA

72–73

A Református Kollégiumot (5) 1531-ben alapították. A kollégiumban tanult Petőfi Sándor és Jókai Mór. Mai épületét 1894–95 között emelték, benne gimnázium és szakközépiskola is működik.

Másik szárnyában a Dunántúli Református Egyházkerület Tudományos Gyűjteményei könyvtára és a kollégium történetének kiállítása tekinthető meg. A Református Egyháztörténeti Múzeum a 18. század végén épült református templomban működik. A copf stílusú épület négyzetes belső terében három oldalon karzat és egy szép rokokó szószék látható.

A római katolikus Nagytemplom (4) a középkori plébániatemplom helyén épült 1774–86 között, Fellner Jakab tervei szerint, klasszicizáló késő barokk (copf) stílusban. A templom főhomlokzata kéttornyos, korinthoszi félpillérek tartják a főpárkányt és a tympanont az Esterházy-címerrel, fölötte Szent István vértanú szobra áll. A templom belső cseh süvegboltozatait Anton Maulbertsch, a vértanú életéből vett jeleneteket ábrázoló festményei díszítik.

A város egyik szobra Esterházy Károly (2) egri püspököt ábrázolja, akinek a kezdeményezésére több fontos épületet emeltek Pápán.

Az Esterházy-kastély (1) a vár helyén épült Grossmann József tervei szerint, 1783–84 között, késő barokk stílusban. A kápolna freskói, barokk kályhák és kandallók tekinthetők meg benne. Jelenleg művelődési központ, könyvtár és Helytörténeti Múzeum, Városi Galéria működik a kastélyban.

A Lábasház (6) elődjében volt 1531–1752 között a református kollégium, hosszú árkádsorában 200 éve üzletek sorakoznak. A Kékfestő Múzeum (3) 1956 óta az egykori Kluge-féle kékfestőüzem épületében tekinthető meg. A szász Kluge 1786-tól készítette Pápán a kékfestőáruit.

The Protestant College, where Sándor Petőfi and Mór Jókai studied, was founded in 1531. The present building was constructed between 1894 and 1895, and today houses a grammar school and a special training school.

The other wing of the building contains the library of the Academic Collection of the Protestant Ecclesiastical Region of Transdanubia. The Museum of Protestant Religious History can be visited in the Protestant church built at the end of the 18th century. The building, in the Copf style, has a square internal structure with a gallery on three sides and a fine rococo pulpit.

The Catholic church was built on the site of the former medieval parish church between 1774 and 1786 in the late Baroque Copf style, following plans laid down by Jakab Kellner. The church's main facade has twin-towered, Corinthian half columns which support the cornice and the tympanum with its Esterházy family crest; above this is a statue of St. Stephen the Martyr. The Czech high vault inside the church is the work of Anton Maulbertsch and shows scenes from the life of the martyr.

The town has a statue of Károly Esterházy, Bishop of Eger, who supported the construction of many buildings in Pápa.

The Esterházy mansion was built in late Baroque style on the site of the former castle following plans drawn up by József Grossmann between 1783 and 1784. The mansion still contains frescoes in the chapel, and Baroque stoves and fireplaces. Today it houses a cultural centre, a library, the Museum of Local History and the Town Gallery.

Between 1531 and 1752 the Protestant College was on the site of the Lábas House and its long arcade has hosted many businesses over 200 years. The Kékfestő (Blue Dye) Museum was established in the former Kluge blue dye works, where from 1786 Kluge, from Saxony, had produced blue day ware.

Das reformierte Kollegium wurde 1531 gegründet. Hier lernte auch Sándor Petőfi und Mór Jókai. Das heutige Gebäude wurde 1894–95 gebaut und ist jetzt ein Gymnasium und Fachmittelschule.

In einem Flügel ist die Bibliothek „Wissenschaftliche Sammlung der transdanubischen reformierten Kirchenverwaltung“ und eine Ausstellung der Geschichte des Kollegiums. Das Reformierte Kirchengeschichtliche Museum ist in der reformierten Kirche aus dem 18.Jh. Im viereckigen Innenraum des Gebäudes im Zopfstil, sind auf drei Seiten Emporen und ein Rokokopredigtstuhl.

Die rk. Großkirche wurde an Stelle der mittelalterlichen Stadtkirche 1774–86 nach Plänen von Jakab Fellner im spätbarocken (Zopf) Stil gebaut. Der Hauptgiebel der Kirche hat zwei Türme und die Balustrade wird von korinthischen Halbsäulen getragen. Auf dem Timpanon mit dem Wappen der Esterházy steht eine Statue des Martyrers St. István. Im Innern der Kirche zeigt das Deckengemälde von Anton Maulbertsch, auf dem tschechischen Kappengewölbe, Szenen aus dem Leben des St. István.

Eine Statue in der Stadt stellt den Bischof von Eger, Károly Esterházy dar, auf dessen Empfehlung mehrere wichtige Bauten in der Stadt gegründet wurden.

Das Esterházy-Schloß wurde an Stelle der Burg nach Plänen von József Großmann 1783–84 im spätbarocken Stil gebaut. Dort kann man die Fresken der Kapelle, die barocken Öfen und Kamine sehen. Heutzutage sind im Schloß die Bibliothek, Stadtgalerie, das Heimatmuseum und Kulturhaus untergebracht.

Das Gebäude, das von 1531–1752 das reformierte Kollegium beherbergte, heißt jetzt „Lábasház“ und in seinen langen Arkaden sind seit 200 Jahren Geschäfte untergebracht. Das Blaufärbermuseum besteht seit 1956 auf dem Gelände der ehemaligen Fabrik Kluge. Der Sachse Kluge hatte seit 1786 in Pápa seine blaugefärbten Stoffe hergestellt.

BAKONY

IRC

74–75

A cisztercita templom (5) a 18. század első felében, a tornyok a 18. század közepén épültek barokk stílusban. Belső berendezése: a szószék (2) és a faragott stallumok is 18. századiak. Értékes a templom orgonája (7) és a mennyezetfreskók (6). A főoltár és az egyik mellékoltár képe Anton Maulbertsch műve. A szószék melletti 12. századi emléktábla utal a régi templomban Imre király által alapított oltárra.

A templomhoz csatlakozik a volt apátsági épület a 18. század második negyedéből. A könyvtár a 19. század negyvenes éveiben, a klasszicista homlokzat 1854-ben épült. A kilátótornyot a vörös márvány lépcsőjéről Vöröstoronynak nevezik. Az épületben kapott helyet a Természettudományi Múzeum geológiai, növény- és állattani, valamint helytörténeti, néprajzi gyűjteménye. Ugyancsak benne működik az Országos Széchényi Könyvtár Reguly Antal Műemlék Könyvtára (3). Berendezése is művészi értékű, a nagyterem különböző bakonyi faféleségből készített, díszes faberakásos asztala és két földgömb figyelemre méltó munkák. A nagytermet szimbolikus freskók is díszítik. A könyvtár mintegy 60 ezer darabból álló anyaga mecénások jóvoltából állandóan gyarapszik.

Az arborétumot (1; 4) az 1182-ben már létezett vadaskert helyén 1759-ben kerítették körül a ciszterciták. Az arborétumot két évszázadon át telepítették. Legidősebb fája a több mint 400 éves kocsányos tölgy, 27 m magas simafenyői az ország legnagyobb példányai.

The Cistercian church was built in the first half of the 18th century and in the middle of the 18th century, Baroque style towers were added. The interior fittings, the pulpit and the carved stalls are also 18th century. Worthy of note are the church's organ and the ceiling frescoes. The main altar picture and one of the side pictures is the work of Anton Maulbertsch. Next to the pulpit is a 12th century plaque referring to King Imre's establishment of an altar in the old church. In the second quarter of the 18th century, the former abbey buildings were attached to the church. The library was built in the 1840's and a Classical style facade was added in 1854. There is a lookout tower, known as the "Red Tower" after the red marble steps. In this building is found the Natural History Museum's geological, plant and animal collections as well as the local history and folklore collections, and there is also the National Széchényi Library Antal Reguly Memorial Library. The internal features are also noteworthy and in the main room are special inlaid wooden tables from the Bakony region and two globes. The room also has symbolic frescoes. The library's 60 000 permanent collection is continually being added to by donations from patrons.

In the hunting grounds, which already existed in 1182, the Cistercians created an arboretum in 1759. The arboretum was developed over two hundred years; the oldest tree is the more than 400 year old sessile oak, and the 27 metre smooth pine is the largest example of the species in Hungary.

Die Zisterzienser Kirche aus dem Anfang des 18.Jh. erhielt ihre barocken Türme erst in der Mitte des Jahrhunderts. Die Inneneinrichtung: Predigtstuhl und geschnitzte Kirchenbank aus dem 18. Jh., die Kirchenorgel und die Deckenfresken sind wertvoll. Die Bilder des Haupt- und eines Nebenaltares sind Werke von Anton Maulbertsch. Eine Gedenktafel neben der Kanzel, aus dem 12. Jh., weißt auf den Altar der alten Kirche hin, der von König Imre gestiftet war.

An die Kirche schließt sich das ehemalige Abteigebäude aus der zweiten Hälfte des 18. Jh. an. Die Bibliothek stammt aus 1840 und 1854 wurde der klassizistische Giebel gebaut. Der Aussichtsturm wird wegen seiner roten Marmortreppe „Roter Turm“ genannt. Im Gebäude haben Platz bekommen, die geologische-, Pflanzen- und Tiersammlung des Naturkundlichen Museums, sowie die Heimat- und Volkskundesammlung. Hier ist zu finden die Historische Antal Reguly Bibliothek, ein Teil der Landes-Széchenyi-Bibliothek. Die Inneneinrichtung ist von künstlerischem Wert: Im Großen Saal sind ein Tisch mit Intarsien aus verschiedenen Holzarten des Bakony-Gebirge und die zwei Globen sehenswert. Der große Saal wird mit symbolischen Fresken geschmückt. Die 60 000 Bände umfassende Bibliothek, wird durch Mäzene ständig vergrößert.

Der botanische Garten wurde 1759 von den Zisterziensern auf dem Gelände des Wildparks von 1182 angelegt. Das Arboretum wurde über zwei Jahrhunderte angepflanzt. Der älteste Baum ist eine 400 jährige Stieleiche und die 27m hohen Tannen sind die höchsten im Land.

HEREND

HEREND

76–77

A porcelángyárat farkasházi Fischer Mór alapította 1839-ben. A „fehér arany” már az első világkiállításon, az 1851-es londonin sikert aratott. Az 1867-es Párizsi Világkiállításon – bár a Monarchiában 19 porcelángyár működött – csak a herendi kapott első díjat. Viktória királynő azonnal rendelt egy készletet a windsori kastély számára. A gyár kezdetei 1826-ig vezethetők vissza, amikor Stingl Vince keménycserép- és majolikamanufaktúrát alapított. 1842-ben már csak porcelánt készítettek itt, akkor Kossuth dicsérte a hercegprímási étkészleteket. Fischer az egyedi darabok készítésére törekedett, olyan tárgyakat csináltak, amelyek hiánycikknek számítottak, ezért sok megrendelést kaptak magyar arisztokrata családoktól, az olasz királyi udvartól. Később egy sorozat első példányát a világ első iparművészeti gyűjteménye, a londoni Victoria és Albert Múzeum vásárolta meg. 1901-ben a szentpétervári kiállításon II. Miklós orosz cár is rendelt étkészletet. A készletek mellett kisplasztikákat is készítettek. Klasszikus magyar szobrászok – Izsó Miklós, Huszár Adolf – műveiről is készültek másolatok, később tervezett Kisfaludy Strobl Zsigmond, Pásztor János szobrász és Kovács Margit keramikus is a gyár számára.

1935-ben a brüsszeli világkiállításon aranyérmet, 1937-ben a párizsin Grand Prix-t kaptak a gyár alkotásai. Ma egyes tárgyait a fenség és a méltóság jellemzi, a dús szín és a formakincs. Más tárgyak nagyanyáink korát idézik. Vannak olyan tárgyak, amelyek a diszkrét dekoráció derűjét, üdeséget, légiesség- és törékenységérzetet sugároznak. Készítenek itt állatfigurákat, amelyek különösen az amerikai gyűjtők körében népszerűek. Több tervező új, stílusos termékkel bővíti a kínálatot. 1999-ben nyílt meg a gyárral szemben a Porcelanium, az a létesítmény, ahol minden a porcelánról szól. Az itteni minimanufaktúra bemutatja a készítés folyamatát. A moziteremben porcelános időutazás részesei lehetünk. A megfáradt turistát különböző mintájú porcelánnal megterített asztalok várják az étteremben és a kávéházban. A múzeumban és a mintaboltban 12 000-féle porcelántárgy csodálható meg.

The porcelain factory was founded in 1839 by Mór Fischer from Farkasház. The “white gold” was already successful in the first world exhibition in London in 1851. At the 1867 Paris world exhibition, although there were 19 porcelain factories operating in the Austro-Hungarian Monarchy, only the Herend factory won a first prize. Queen Victoria immediately ordered a set for Windsor Castle. The factory's origins go back to 1826, when Vince Stingl founded a tile and majolica factory. By 1842, when Lajos Kossuth praised the Archbishop's dining service, only porcelain was produced here. Fisher tried to produce pieces which were unique or had a rarity value, and so he received many orders from Hungarian aristocratic families and from the Italian royal court. Later an example of a series he produced was bought by the world's first industrial craft collection, the Victoria and Albert Museum in London. In 1901 in the St. Petersburg Exhibition, Tsar Nicholas II ordered a dining service. In addition to dining services, small statues and other objects were produced. Copies of the works of Hungarian sculptors such as Miklós Izsó and Adolf Huszár were prepared, and later Zsigmond Kisfaludy Strobl, the sculptor János Pásztor and the ceramic artist Margit Kovács also produced for the factory.

The factory's products won the gold medal in the 1935 Brussels Exhibition and the Grand Prix in the 1937 Paris Exhibition. The products now are renowned for their splendour, their dignity, their rich colour and sense of form. Other objects evoke the age of our grandparents. There are works of porcelain whose decoration is characterised by radiance, vitality, an ethereal quality and a feeling of delicacy. The factory also produces animal figures, which are particularly popular with American collectors. The range of products is continually added to with new and stylish designs. In 1999, the Porcelanium was opened opposite the factory, an institution which houses everything connected with porcelain. The 'manufacture in miniature' here shows the production process and in the Porcelanium's cinema the visitor can travel through time watching the history of porcelain production. When the visitor is tired there is a restaurant and coffee-house whose tables feature specially designed porcelain objects. In the Museum and factory shop there are 12 000 different porcelain pieces.

Die Porzellanmanufaktur wurde 1839 von Mór Fischer aus Farkasház gegründet. Das „weiße Gold“ hat bereits auf der Weltausstellung 1851 in London Erfolg gehabt. Auf der Pariser Weltausstellung 1867 wurde, obwohl 19 Porzellanmanufakturen ausstellten, nur die Herender mit dem ersten Platz ausgezeichnet. Königin Viktoria hat sofort ein Service für Schloß Windsor bestellt. Die Anfänge der Manufaktur kann man bis zum Jahre 1826 zurück-verfolgen, als der Vince Stingl eine Dachziegel- und Majolika-Manufaktur gründete. Ab 1842 wurde nur noch Porzellan hergestellt, damals hat Kossuth das Fürstprimas-Service gelobt. Fischer strebte an, nur Unikate herzustellen und deshalb häuften sich die Bestellungen der ungarischen Aristokratie und des italienischen Königshauses. Später kaufte die erste Kunstsammlung der Welt des Londoner Viktoria und Albert-Museum jede Erstausgabe einer Serie. Auf der Ausstellung 1901 in St. Petersburg bestellte der russische Zar Miklós II. auch ein Service. Neben dem Tafelgeschirr stellten sie auch kleine Schmuckfiguren her. Später wurden Kopien von Werken der klassischen ungarischen Bildhauer, wie Adolf Huszár und Miklós Izsó hergestellt. Es ist auch nach Entwürfen der Bildhauer Zsigmond Kisfaludy Strobl, János Pásztor und der Keramikerin Margit Kovács gearbeitet worden.

Auf der Brüsseler Weltausstellung 1935 gewann Herend eine Goldmedaille und in Paris 1937 den Grand Prix. Noch heute zeichnen sich ihre Arbeiten durch eine üppige Farben- und Formenpracht, sowie majestätische Würde aus. Andere Gegenstände erinnern an die Zeit unserer Großmütter. Es gibt Kunstwerke, die mit ihrem diskreten Dekor jugendliche Frische und Zerbrechlichkeit ausstrahlen. Es werden auch Tierfiguren angefertigt, die besonders bei den amerikanischen Sammlern beliebt sind. Im Jahre 1999 wurde das Porzellanium eröffnet, in dem alles Wissenswerte über Porzellan gezeigt wird. Eine Minimanufaktur zeigt die verschiedenen Arbeitsschritte bei der Herstellung. Im Kino kann man an einer Zeitreise durch die Porzellangeschichte teilnehmen. Den müde gewordenen Besucher erwarten im Cafe-Restaurant, die mit verschiedenem Porzellan gedeckten Tische. Im Museum sind 12 000 Gegenstände zu bewundern, die man im Souvenirladen auch kaufen kann.

SZÉKESFEHÉRVÁR

A középkori Romkert (7) a királyi bazilika maradványait őrzi. A bazilikát Szent István még koronázása előtt alapította. Öt évszázadon át itt koronázták és temették el a királyokat. A püspöki palota (3; 5), az ország egyik legjelentősebb copf stílusú épülete 1800–01-ben épült a bazilika romjainak felhasználásával. Főhomlokzatának középrizalitját háromszögű oromzat koronázza püspöki címerrel és szobrokkal. Igen értékes a belső berendezése és a 40 ezer kötetes könyvtára.

A Fekete Sas patika (1) 18. századi barokk épület, a földszintjén 1744 óta működik a gyógyszertár, 1973 óta múzeumként. Faragott berendezése a jezsuita asztalosok remekműveiből áll. A Szent Anna-kápolna (2) a város egyetlen épségben megmaradt épülete, 1470 körül alapította Hentel helyi polgár.

A Megyeháza 1807–12-ben épült klasszicista stílusban, előtte Szent István lovas szobra (6), Sidló Ferenc alkotása áll.

A Bory-várat (4) Bory Jenő szobrász építette 1912–59 között.

The medieval "Romkert" or ruin garden preserves the remains of the royal basilica which was established even before the coronation of St. István. For five centuries the kings of Hungary were crowned and buried here. The bishop's palace, one of the country's most significant Copf style buildings, was constructed here in 1800-1, using the ruins of the basilica. Its main facade has a central bay with a triangular gable with the bishop's crest and statues. Worthy of note are the internal fittings and the 40 000 volume library.

The "Fekete Sas", or Black Eagle Pharmacy is an 18th century Baroque building and the ground floor was a pharmacy from 1744 and has been a museum since 1973. The carved internal fittings are masterpieces of Jesuit carpentery. The chapel of St. Anne is the town's only perfectly preserved medieval building, founded in 1470 by Hentel, a local citizen.

The County Hall was built in Classical style from 1807 to 1812, and in front of the building is a mounted statue of St. István, the work of Ference Sidlo. The Bory mansion was built by Jenő Bory, the sculptor, between 1912 and 1959.

Der mittelalterliche Ruinengarten beherbergt die Reste der königlichen Basilika. Sie wurde vom Hl. Stephan noch vor seiner Krönung gegründet. Über fünf Jahrhunderte wurden hier die Könige gekrönt und bestattet. Das Bischofpalais, das bedeutendste Zopfstilgebäude des Landes wurde 1800 unter Verwendung von Teilen der Basilika gebaut. Der vorspringende Mittelteil des Hauptgiebels wird mit dem Bischofswappen und Figuren verziert. Die wertvolle Inneneinrichtung beinhaltet auch eine Bibliothek mit 40 000 Bänden.

Die „Fekete Sas" Schwarzer Adler Apotheke ist seit 1744 im Erdgeschoß eines Barockgebäudes aus dem 18. Jh. Seit 1973 ist sie ein Museum. Die geschnitzte Einrichtung ist ein Meisterwerk der Jesuitentischler. Die St. Anna Kapelle, von Hentel, einem Bürger der Stadt 1470 gestiftet, ist das einzige, unbeschädigt gebliebene Gebäude der Stadt.

Das Rathaus wurde 1807–12 im klassizistischen Stil gebaut, vor ihm steht eine Reiterstatue des Hl. Stephan, ein Werk von Ferenc Sidló.

Die Bory Burg wurde 1912–59 von dem Bildhauer Jenő Bory gebaut.

2

1

3

4

5

6
SZENT ISTVÁN

7

VESZPRÉM

80–81

A várnegyed (4) sziklatömbre épült. A kilátóbástya mellvédes párkányán áll a Szent Istvánt és feleségét, Gizellát ábrázoló szobor (3), amely 1938-ban készült. A Hősi Kapu az egykori várkapu helyén látható 1936 óta.

A Tűztorony (1) a város jelképe, alsó része a vár 15. századi őrtornyának maradványa, a felső része 1811–17-ben épült. Ezután azt figyelték a toronyból, nincs-e tűz a városban.

A püspöki érseki palota (5) a 18. század második felében épült a középkori királynéi palotaegyüttes helyén, annak maradványai felhasználásával, Fellner Jakab tervei szerint. Belsejében látható a 17–20. századi püspökök arcképcsarnoka.

A Gizella-kápolna (2) a 13. században épült, emeletét a püspöki palota építésekor lebontották, alsó részét Fellner Jakab restaurálta. Akkor kapta a kápolna Gizella királyné nevét. Északi falát 13. századi freskók díszítik.

A Szent Mihály-székesegyház (6) az egyik legrégebben alapított püspöki templom az országban. A hagyomány szerint a templomot Gizella királyné építtette. A román stílusú bazilika megrongálódott, a 14. század végén gótikus stílusban állították helyre és bővítették, a török ostromkor leégett. Utoljára 1907–10 között neoromán stílusban építették át mai formájára. Szentélye alatt gótikus altemplom van.

A Szent György-kápolna a város legkorábbi építészeti emléke a 11. század elejéről. Maradványai ma a védőépület alatt láthatók Vetési püspök sírkövével.

A Kittenberger Kálmán Növény- és Vadaspark hazánk egyik legszebb helyén fekvő állatkertje, emberszabású majmokkal, értékes madarakkal.

The castle quarter is built on an outcrop of rock. The statues of St. István and his wife Gisella, prepared in 1938, stand looking outwards from the defensive lookout bastion. The Heroes Gate, on the site of the former castle gate, has been open to the public since 1936.

The Fire Tower is the symbol of the town, the lower part is the remains of the 15th century castle guard tower, the upper part was built between 1811 and 1817. Since a watch has been kept from the tower, there has been no fire on the town.

The Archbishop's Palace was built in the second half of the 18th century on the site of the medieval Queen's royal buildings. Parts of these old buildings were used in the construction of the palace, which was designed by Jakab Fellner. Inside the palace is the portrait corridor, featuring bishops from the 17th to the 20th century.

The Gisella Chapel was built in the 13th century. The first floor was destroyed during the building of the bishop's palace while the lower part was restored by Jakab Fellner. It was then that the chapel acquired its name and on the northern wall can be seen 13th century frescoes.

The St. Mihály Cathedral Church is one of the oldest diocesan churches in the country. According to tradition it was built by Queen Gisella. The Romanesque style basilca fell into disrepair and at the end of the 14th century it was restored and expanded in Gothic style, although it was later burnt during the siege by the Turks. It was finally rebuilt in Neo-Romanesque style to take its present form between 1907 and 1910. Underneath the sanctuary there is a Gothic crypt chapel.

The St. George Chapel is the town's oldest architectural feature, dating from the beginning of the 11th century. Its remains can be seen today under the defensive buildings, together with the tomb of Bishop Vetési.

The Kalman Kittenberger plant- and game park is one of Hungary's most beautiful zoos, with primates and valuable birds.

Das Burgviertel wurde auf einem Felsen gebaut. Auf der Aussichtsplattform stehen seit 1938 die Figuren des Hl. Stephan und seiner Frau Gisela. Das Heldentor steht seit 1936 auf dem Platz des ehemaligen Burg-tores.

Der Feuerturm, das Wahrzeichen der Stadt, steht auf den Überresten eines Wehrturms aus dem 15. Jahrhundert. Der obere Teil wurde von 1811–17 daraufgebaut um einen Brand in der Stadt besser erkennen zu können.

Der Erzbischöfliche Palast wurde nach Plänen von Jakab Fellner im 18.Jh. auf dem Platz des mittel-alterlichen Königinnenpalastes, mit dessen Überresten, errichtet. In der Halle sind die Porträts der Bischöfe des 17–20. Jahrhunderts.

Die Gisela-Kapelle wurde im 13. Jh. gebaut, die obere Etage wurde für den Erzbischöf-lichen Palast abgerissen und der untere Teil wurde von Jakab Fellner restauriert und danach Gisela-Kapelle genannt. Die nördliche Wand ist mit Fresken aus dem 13. Jh. geschmückt.

Die St. Mihály Kathedrale ist die älteste Bischofskirche im Land. Traditionell hat die Königin Gisela die Kirche bauen lassen. Die Basilika im romanischen Stil wurde beschädigt und am Ende des 14. Jh. wurde sie im gotischen Stil wiederaufgebaut und erweitert. Während der türkischen Belagerung ist sie abgebrannt. Ihr heutiges Aussehen erhielt sie 1907–10 im neoromanischen Stil. Unter ihrem Sanktuarium ist eine Unterkirche.

Die St. György-Kapelle aus dem 11. Jh. ist das älteste Bauwerk der Stadt. Überreste und der Grabstein des Bischofs Vetési sind unter einem Schutzdach zu besichtigen.

Auf dem schönsten Platz Ungarns liegt der Kálmán Kittenberger Pflanzen- und Wildpark mit seinen Menschenaffen und wertvollen Vögel.

3

4

5

6

7

SÜMEG

82–83

A várat (4) a 13. század derekán kezdték építeni a 276 m magas mészkőhegyen, a 15. század végén megnagyobbították, a 16. században pedig megerősítették, s a törökök sohasem tudták bevenni. 1713-ban a császári csapatok felgyújtották. A várban vártörténeti kiállítás látható. A barokk váristállóban Lószerszámmúzeum működik (6).

A település középkori templomát egy 1241-es oklevél említi, helyén a 18. század közepén a veszprémi püspök építtette fel az új, barokk templomot (2; 3; 7). A homlokzatot Szűz Mária, Szent István és Szent László kőszobrai ékítik. A templom igazi értékei a Maulbertsch-freskók (5).

A püspöki palotát (1) a veszprémi püspök építtette a 18. század közepén. A koronázópárkány alatt a püspök címere látható. Benne – a kápolna freskóival és stukkóival – oltárképe emelkedik ki.

A Kisfaludy Emlékmúzeum (8) Kisfaludy Sándor 18. századi barokk szülőházában kapott helyet. A költőre és feleségére emlékeztető tárgyakon kívül helytörténeti gyűjtemény is megtekinthető itt.

Construction of the castle was started in the 13th century on the 276 metre limestone hill. At the end of the 15th century it was enlarged and in the 16th strengthened – the Turks were never able to take the building. In 1713 it was blown up by Imperial Hapsburg troops. The castle contains an exhibition featuring the history of the castle, and in the 18th century Baroque castle stables there is an exhibition of equestrian equipment.

A medieval church is mentioned in a document dating from 1241, and on the site of this building the Bishop of Veszprém built a new Baroque style church in the middle of the 18th century. The main facade is decorated with statues of the Virgin Mary, St. István, and St. László, but the real treasures of the church are the frescoes by Maulbertsch.

The Bishop's Palace was also built by the Bishops of Veszprém at this time, and under the crowning cornice can be seen the Bishop's crest. Inside there is an altar picture as well as a chapel with frescoes and stuccoes.

The Kisfaludy Memorial Museum is located in the 18th century Baroque residence of Sándor Kisfaludy. Besides exhibits devoted to the poet and his wife there is also a local history collection on display.

Die Burg wurde Mitte des 13. Jh. auf einem 276m hohen Kalksteinberg gebaut. Am Ende des 15. wurde sie vergrößert und im 16. Jh. verstärkt, so dass die Türken sie nie einnehmen konnten. Erst die kaiserlichen Truppen haben sie 1713 in Brand gesetzt. In der Burg ist eine geschichtliche Ausstellung zu sehen. In dem barocken Pferdestall ist ein Zaumzeug-Museum.

Die mittelalterliche Kirche wurde bereits in einer Urkunde von 1241 erwähnt. An deren Stelle hat der Bischof von Veszprém im 18. Jh. eine neue Barockkirche gebaut. Der Giebel wird mit den Figuren der Heiligen István und László und der Jungfrau Maria geschmückt. Besonders wertvoll sind die Fresken von Anton Maulbertsch.

Den Bischofspalast hat der Bischof von Veszprém im 18. Jh. gebaut. Unter dem Kronen-rand ist das Wappen des Bischofs. Erwähnenswert sind auch die Fresken, der Stuck und das Altarbild in der Kapelle.

Im Geburtshaus des Sándor Kisfaludy befindet sich sein Museum. Hier sind Gegenstände des Dichterpaares und eine heimatkundliche Sammlung ausgestellt.

4
5
6
7
8

ÉVÍZ

84–85

A mintegy ötezer lakosú kisváros 47 ezer m² felületű tavából (1) percenként 20 ezer liter, 42 °C-os hévíz tör a felszínre. A világ legnagyobb tőzegfenekű gyógytavának nyáron 33–35 °C-os, télen 24 °C-os külső hőmérsékletű vize háromnaponként kicserélődik. A tó fenekén lévő tőzegiszappal együtt jó eredménnyel gyógyítják a mozgásszervi betegségeket. A víz gyógyító erejét már a rómaiak ismerték. 1795-ben Festetics György fürdőházat (2) is épített. A 19. század eleje óta fejlődik a fürdő nagy léptekkel. Főidényben a fürdőhely több mint tízezer vendéget fogad hét négycsillagos – Rogner (5), Naturmed Carbona (9), Aqua (7), Europa Fit (6), Palace Hévíz (8), Szent András, Thermál (10) – szállodájában. Exkluzív ellátásukba tartoznak a wellness központ, az élményfürdő, a gyógyterápia, a tenisz, a golf, a lovaglás.

A városban sok virág díszíti a házakat, a kerteket, a parkokat, az utcákat. A városközponttól 1,5 km-re fekszik a városhoz tartozó Egregy borpincéivel (4) és az 1200 körül román stílusban épült templomával.

2

This small town with its 5000 inhabitants is notable for its lake, which covers an area of 47 000 square metres and which bubbles up 20 000 litres of water at 42 °C every minute. The world's largest peat-bottomed medicinal lake changes its water every three days, maintaining a temperature of 35 °C in summer, and 24 °C in winter. The mud from the bottom of the lake proves a very effective treatment for those suffering from motor diseases. The medicinal properties of the lake have been known since Roman times. In 1795 György Festetics built a bathing house here, and since the beginnings of the 19th century, the baths have developed rapidly. In the high season the resort hosts 10 000 guests in seven four-star hotels – the Rogner, Naturmed Carbona, Aqua, Europa Fit, Palace Hévíz, Szent András and Thermál. Among the facilities are the health and wellbeing centre, the fun baths, the medicinal therapy, tennis, golf and riding.

In the town the houses, gardens, parks and streets are decorated with flowers. About a kilometre and a half from the town centre is Egregy with its wine-cellar and Romanesque style church dating from around 1200.

3

In der 5000 Einwohner zählenden Kleinstadt liegt der 47 000 m² große Thermalsee in den pro Minute 20 m³, 42 °C heißes Heilwasser einströmen. Das Wasser, in dem größten Heilsee mit Torfgrund, ist im Sommer 33–35 °C, im Winter 24 °C warm und wird im dreitägigen Turnus natürlich erneuert. Mit dem Heiltorf werden, mit guten Ergebnissen, Bewegungskrankheiten geheilt. Die Heilkräfte des Wassers kannten schon die Römer. Um 1795 hat György Festetics hier ein Badehaus gebaut. Seit Anfang des 19. Jh. entwickelt sich das Bad in großen Schritten. Zur Hauptsaison stehen ca. 10 000 Plätze in diesen sieben **** Hotels bereit: Rogner, Naturmed Carbona, Aqua, Europa Fit, Palace Hévíz, Szent András und Thermál. Im exklusiven Angebot stehen Wellness, Erlebnisbad, Heiltherapie, Tennis, Golf und Reiten.

In der Stadt schmücken viele Blumen die Häuser, Parks und Straßen. Etwa 1,5 km vom Stadtzentrum liegt Egregy mit seinen Weinkellern und der romanischen Kirche von 1200.

1

4

THERMAL HOTEL HÉVÍZ

KESZTHELY

86–87

A Balaton-parti városban a volt Festetics-kastély (4) déli szárnya a 18. század közepén épült barokk stílusban a középkori Pethő-vár helyén. Mai képét átépítések után a 19. század nyolcvanas éveiben kapta. Helikon Kastélymúzeumként működik. A régi szárny nagy értéke a Festetics György által a 18. század végén alapított Helikon Könyvtár (6). Anyagában kiemelkednek Voltaire, Descartes, Rousseau első kiadású művei, 15. századi latin nyelvű kódex, Sylvester János Újtestamentuma. A könyvtármúzeum, termeiben értékes bútorok, szobrok, festmények, japán, kínai, francia, német műtárgyak láthatók. Tölgyfa berendezéseit Kerbl János készítette 1801-ben.

Az épülethez hatalmas, növényritkaságokat is bemutató védett park csatlakozik. A sétányok mentén a régi Oroszlános-kút, valamint Goldmark Károlynak, a városban született zeneszerzőnek és Csokonainak a mellszobra áll, míg a kastély keleti homlokzata előtt Festetics György szobra található.

A Fő téren az 1386-ban épült gótikus stílusú ferences templomban 15–16. századi freskók láthatók. A Georgikont, Európa első rendszeres mezőgazdasági főiskoláját 1797-ben alapították. A Georgikon Majormúzeum a magyar – elsősorban a keszthelyi – mezőgazdaság történetét mutatja be.

In this town on the shores of Lake Balaton, the southern wing of the former Festetics Palace was built in Baroque style in the middle of the 18th century on the site of the medieval Pethő castle. Its present form dates back to the rebuilding work in the 1880's. The finest section of the old wing is the Helikon Library, created by György Festetics at the end of the 18th century, which now operates as a castle museum. Included in the collection are first editions by Voltaire, Descartes and Rousseau, as well as 15th century Latin codices and János Sylvester's New Testament. In the library museum there are also valuable pieces of furniture, statues, paintings and objets d'art from Japan, China, France and Germany. The oak fittings were created in 1801 by János Kerbl.

The palace buildings are connected to a huge park containing rare plants. Along the walkways can be seen the old Lion Well, a statue of the composer Károly Goldmark who was born in the town, and a bust of the poet Csokonai. In front of the palace's eastern facade is a statue of György Festetics.

In the main square is the Franciscan church, built in 1386, with its 15th–16th century frescoes. The Georgikon was Europe's first organised college of agriculture, founded in 1797, and today the Georgikon Manor Museum illustrates the history of agriculture, with a special focus on Keszthely.

Am Balatonufer, auf dem Platz der mittelalterlichen Pethő-Burg wurde im 18. Jh. der Südflügel des ehemaligen Festetics-Schloßes gebaut. Sein heutiges Aussehen bekam es nach Umbauten um 1880. Jetzt beherbergt es das Helikon-Schloßmuseum. Das wertvollste im alten Flügel ist die von György Festetics gegründete Helikon-Bibliothek aus dem 18. Jh. mit den Erstausgaben von Voltaire, Descartes und Rousseau, sowie einen lateinischen Kodex aus dem 15. Jh. und Das Neue Testament von János Sylvester. In den Räumen des Bibliothek-Museums sind wertvolle Möbel, Figuren, Gemälde und japanische, chinesische, französische und deutsche Kunstgegenstände zu sehen. Die Einrichtung aus Eichenholz hat János Kerbl um 1801 angefertigt.

Zum Schloß gehört auch ein riesiger Park mit seltenen Pflanzen. An den Wegen um den alten Löwenbrunnen stehen die Büsten des hier geborenen Komponisten Károly Goldmark und des Dichters Csokonai. Vor dem östlichen Giebel des Schlosses steht die Statue des György Festetics.

Auf dem Hauptplatz steht die 1386 im gotischen Stil gebaute Franziskanerkirche. In ihr sind Fresken aus dem 15–16. Jh. zu sehen. Das Georgikon, die erste Landwirtschaftliche Hochschule Europas, wurde 1797 gegründet. Das Georgikon-Gutshof-Museum zeigt die ungarische Landwirtschaftsgeschichte, in erster Linie aus dem Gebiet um Keszthely.

2

3

1

5
4
6
7

APOLCA

A Tavasbarlang (3) föld alatti, víz által kivájt termek sora, egy részét barlangi tó borítja. Ma is élő barlang, a víz mozgásban van benne: a barlangon átáramló víz a Malom-tónál (7) tör felszínre. Egy kőműves 1902-ben kútásás alkalmával talált rá a barlangra. A Malom-tó házakkal körülvett tavacska. A házak támfala alól kiömlő víz tölti meg a tavat, vizében fürge csellék úszkálnak.

A Gabriella Szálló (1)hatalmas malomkerekét a tó lezúduló vize forgatja. A szálloda eredetileg 200 éves vízimalom volt.

A római katolikus templom (4) a 13. században épült a 11–12. századi templom helyén, román stílusban, majd a 15. században gótikussá alakították át. A 18. század közepén a veszprémi püspök barokk stílusban kibővítette. A gótikus szentély falán 15. századi freskó maradványai láthatók. Batsányi János (2) és felesége, Baumberg Gabriella (6) osztrák költőnő szobra egy szép parkban áll.

Batsányi János költő szülőházában emlékszoba tárja elénk az első magyar irodalmi folyóirat egyik megindítójának az életművét. Különleges látnivaló a Bauxitbányászati gyűjtemény.

The Tavas Cave is a series of natural phenomena, carved out by water and including an underground lake. It is still an active cave today, with water flowing and reaching the surface at the Malom, or Mill Lake, which is a small lake surrounded by houses. The water surges into the lake from under the walls of the houses and the lake is full of swiftly swimming minnows.

The water of the lake also powers the huge mill-wheel at the Gabriella Hotel, which was originally a 200-year old mill.

The Catholic church was built in Romanesque style in the 13th century, on the site of a former 11th–12th century church, and later rebuilt in the 15th century in Gothic style. In the middle of the 18th century it was expanded by the Bishop of Veszprém. Remains of 15th century frescoes can be seen on the walls of the Gothic sanctuary. Statues of János Batsányi and his wife, the Austrian poet Gabriella Baumberg, can be seen in a fine park.

The birthplace of János Batsányi has a plaque on the wall to keep alive the memory of one of the founders of Hungary's first literary journal.

Of particular interest is the Bauxite Mining collection.

Die Seehöhlen sind unterirdische, vom Wasser ausgespülte Hohlräume, die zum Teil vom Höhlensee überflutet werden. Das, die Höhlen durchfliesende Wasser tritt im Mühlen-See an die Oberfläche. Ein Maurer hat 1902 die Höhlen beim Brunnengraben entdeckt. Der kleine See ist von Häusern umgeben. In dem Wasser, das unter den Stützmauern der Häuser hervorquillt, tummeln sich die schnellen Pfrillen (Fische).

Das Hotel Gabrielle ist in einer 200 Jahre alte Wassermühle, heute noch stürzt das Wasser über das Mühlrad und treibt es an.

An Stelle der Kirche aus dem 11–12. Jh., wurde im 13. Jh. eine rk. Kirche im romanischen Stil gebaut, die im 15. Jh. gotisch umgebaut wurde. Mitte des 18. Jh. hat sie der Bischof von Veszprém im Barockstil erweitert. An den Wänden des gotischen Sanktuariums sind Freskenteile aus dem 15. Jh. zu sehen.

Die Statuen von János Batsányi und dessen Frau, der österreichischen Dichterin Gabriella Baumberg, stehen in einem schönen Park. Im Geburtshaus des Dichters János Batsányi wird in einem Zimmer das Lebenswerk des Gründers der ersten ungarischen Literarischen Zeit-schrift gezeigt. Eine besondere Sehenswürdigkeit ist die Sammlung des Bauxitbergwerks.

2

3

1

BALATONFÜRED

A Balaton partján Pásztor János Révész és Halász című bronzszobra áll (2; 3). A parkban (1; 7) Tagore híres hindu költőnek – aki 1926-ban a Szívkórház elődjében talált gyógyulást – egy 1956-ban Indiából küldött mellszobra látható a költő ültette hársfa alatt. Ültetett itt emlékfát Indira Gandhi indiai miniszterelnök, a Nobel-díjas Salvatore Quasimodo olasz költő, Paul Adrien Maurice Dirac, I. M. Frank, Richard Feynman, Wigner Jenő fizikusok, Valerij Kubászov és Farkas Bertalan űrhajós is. A parkban állították fel a balatonfüredi Kőszínház alapítójának, Kisfaludy Sándor költőnek, valamint a balatoni gőzhajózás megindítójának, Széchenyi Istvánnak a szobrát. Az 1840-es években épült a Kerek templom (6) klasszicista stílusban. Az egyik mellékoltárképet Vaszary János festette 1891-ben Krisztus a keresztfán címmel.

A Jókai Emlékmúzeum (4) eklektikus épületét 1870-ben építtette Jókai és felesége, akik itt töltötték nyaraikat. Beköltözésük után a villában írta meg Jókai Mór *„Az arany ember"* című regényét.

A Horváth-házat (8) 1790-ben copf stílusban Szentgyörgyi Horváth Zsigmond építtette, 1825-ben itt rendezték meg az első Anna-bált. A Kossuth Lajos-forrás ivócsarnokát a 19. század első felében építették.

2

On the shores of Lake Balaton there is a statue entitled "Pastor John, Ferryman and Fisherman". In 1926 the famous Hindu poet Tagore visited the town and was cured in the predecessor of the present cardiac hospital. In 1956 a bust of Tagore was sent from India and can be seen underneath the lime tree which he planted. Memorial trees were also planted here by Indira Gandhi, the Indian Prime Minister; the Nobel Prize Winner, Italian poet Salvatore Quasimodo; the physicists Paul Adrien, Maurice Dirac, I. M. Frank, Richard Feynman and Jenő Wigner; and the astronauts Valerij Kubaszov and Bertalan Farkas. Statues were also erected in the park of Sándor Kisfaludy, the poet and founder of the Balatonfüred Stone Theatre, as well as the pioneer of the Balaton steamship route, István Széchenyi. In the 1840's the "Kerek", or Round Church was built in the Classical style. One of the side-altar pictures, entitled Christ on the Cross, was painted by János Vaszary in 1891.

The Jokai Memorial Museum, an eclectic style building dating from 1870, was built by the Hungarian novelist Jokai Mor and his wife, who spent their summers here. After moving here Jokai wrote the famous novel *'The Golden Man'.*

The Horváth House was built in 1790 in the Copf style by Zsigmond Szentgyörgy Horváth, and in 1825 the first Anna Ball was held here. The drinking water pipes from the Lajos Kossuth spring were installed in the first half of the 19th century.

3

Am Ufer des Plattensees steht die Bronzestatue von János Pásztor der „Fährmann und der Fischer". Im Park steht eine Büste des Hindu Dichters Tagore, der 1926 im Herzkrankenhaus geheilt wurde. Sie wurde 1956 aus Indien gesandt und ist unter der, von dem Dichter gepflanzten Linde aufgestellt. Hier haben einen Erinnerungsbaum gepflanzt: Die indische Ministerpräsidentin Indira Gandhi, der italienische Dichter und Nobelpreisträger Salvatore Quasimodo, die Physiker Paul Adrien, Maurice Dirac, I. M. Frank, Richard Freyman, Jenő Wigner sowie die Kosmonauten Valerij Kubászov und Bertalan Farkas. Im Park sind Statuen des Dichters Sándor Kisfaludy, dem Gründer des Balatonfüreder Steintheaters und von István Széchenyi, dem Gründer der Balatoner Dampfschifffahrt aufgestellt. Um 1840 wurde die Runde Kirche im klassizistischen Stil gebaut. Ein Bild im Nebenaltar „Christus am Kreuz" hat 1891 János Vaszary gemalt.

Das eklektische Gebäude des Jókai Gedenkmuseums hat 1870 das Ehepaar Jókai, das hier seine Sommer verbracht hatte, bauen lassen. In dieser Villa hat Mór Jókai den Roman *„Der goldene Mensch"* geschrieben.

Das Horváth-Haus wurde 1790 im Zopfstil von Zsigmond Szentgyörgyi Horváth gebaut. Um 1825 veranstalteten sie hier den ersten Annaball. Die Trinkhalle der Lajos Kossuth Quelle wurde in der ersten Hälfte des 19. Jahrhunderts gebaut.

1

4

5

6

7

8

TIHANY

92–93

Az apátságot I. András király alapította 1055-ben bencés szerzetesek számára. Az apátság épületeiből a török hódoltság végére csak az altemplom (5) maradt fenn. Az altemplom fölé a 18. század közepére új barokk templomot (4) építettek. A kéttornyos főhomlokzatot övpárkány és falpillérek díszítik. Az oromzatban Szűz Mária és Szent Ányos szobrai állnak. A barokk főkapun az építtető apát címere, valamint Szent Benedek és Szent Skolasztika szobrai láthatók. A templom belső berendezése a 18. század második felében készült. Remekművek a szobrokkal díszített oltárok, az orgonaház, a gazdagon faragott szószék. Az altemplom 11. századi, román stílusú, közepén I. András király kereszttel megjelölt sírja áll (5). A templomban nyáron orgonahangversenyeket rendeznek. Az óvár sziklafalába az I. András által odatelepített orosz szerzetesek vájták ki maguknak a barátlakásokat (2).

A kolostor (4) a templomhoz kapcsolódik, vele egy időben épült. Mára a bencés szerzetesek visszaköltöztek a kolostorokba. Egy részében a Tihanyi Múzeum kiállításai tekinthetők meg.

A Visszhang-domb (6) Tihany legnagyobb nevezetessége volt. Korábban 16 szótagos mondatot is visszavert, napjainkban már csak egy-két szótag cseng vissza tiszta, szélcsendes időben. A Belső-tó (1) és környéke természetvédelmi terület.

A népművészeti ház 1936-ban épült, népművészeti kiállításokban gyönyörködhetnek a látogatók. A település színfoltja a magántulajdonban lévő Babamúzeum (3).

The abbey was founded by King András I in 1055 for the Benedictine monks. Of the original abbey buildings only the crypt survived the Turkish Conquest. Above the crypt a new Baroque church was built in the middle of the 18th century. The twin-towered facade is decorated with cornices and wall pillars. Statues of the Virgin Mary and St. Anyos can be seen in the gable. In the Baroque main entrance there are statues of the abbot who commissioned the building as well as St. Benedict and St. Scholasticus. The internal features of the building were created in the second half of the 18th century. Particularly worthy of note are the altar, decorated with statues, the organ housing, and the richly carved pulpit. In the crypt is an 11th century Romanesque style tomb, surmounted by a cross in the style of King András. In summer organ concerts are held in the church. In the "Óvar" or old fort rocks, András I settled Russian monks who carved out caves for themselves in the side of the rock.

The monastery is connected to the church and was built at the same time. Today the Benedictine monks have moved back into their monastery buildings. Part of the monastery buildings are preserved in the Tihany Museum.

The Echo Hill was one of Tihany's most famous features. Earlier a sixteen-syllable sentence could be heard to echo back from the hill. Today, just one or two syllables can be heard in very quiet moments. The Inner Lake and its surroundings are environmentally protected areas.

The Folklore House was built in 1936 and contains many fine folklore exhibits. The privately-owned Doll Museum is another main attraction of Tihany.

Die Abtei der Benediktiner wurde 1055 von König András I. gegründet. Von den Gebäuden der Abtei stand nach der Türkenherrschaft nur noch die romanische Unterkirche, in ihr ist das Grab von König András I. mit einem Kreuz gekennzeichnet. Auf diese wurde bis Mitte des 18. Jh. eine neue Barockkirche gebaut. Der Hauptgiebel mit zwei Türmen wird von einem Gürtelsims und Wandpfeilern geschmückt. Im Giebel stehen die Statuen der Jungfrau Maria und der Hl. Ányos. Auf dem Haupttor sind das Wappen des Abtes und die Figuren des Hl. Benedikt und Hl. Skolastika. Die Inneneinrichtung stammt noch aus dem 18. Jh. Prachtwerke sind, die mit Figuren geschmückten Altäre, das Orgelhaus und die reichlich geschnitzte Kanzel. In der Kirche werden im Sommer Orgelkonzerte veranstaltet. Die russischen Mönche, die von András I. hier angesiedelt wurden, haben in die Felsenwand der Altburg Eremitenhöhlen gegraben.

Das Kloster schmiegt sich an die Kirche, sie wurden gleichzeitig gebaut. Die Benediktinermönche sind wieder in das Kloster zurückgekehrt und haben das Tihany-Museum im Kloster eingerichtet.

Der Echo-Hügel war die größte Sehenswürdigkeit von Tihany. Früher hat das Echo 16 silbige Wörter zurückgeworfen, aber heute sind selbst bei Windstille kaum mehr als zwei Silben zu verstehen. Der Innere See und seine Umgebung ist ein Naturschutzgebiet.

In dem 1936 gebauten Volkskunsthaus werden Ausstellungen gezeigt. Ein besonderer Farbtupfer ist das private Puppenmuseum im Ort.

2

3

1

SZIGETVÁR

SZIGETVÁR

A vár (1) a 15. század elején épült. A Garai és az Enyingi Török család is birtokolta. 1543-tól királyi vár. 1566-ban Zrínyi Miklós várkapitány egy hónapig védte II. Szulejmán szultán hatalmas túlerőben lévő csapatai ellen. Amikor reménytelennek látták a küzdelmet, kitörtek a várból, és kézitusában vesztették életüket. Ezután épült a szultán dzsámija, amelynek mihráb-fülkéje és a minaret egy része ma is látható. A dzsámival közös tető alatt épült 1930-ban a nyári kastély, amelyben a Zrínyi Miklós Múzeum működik.

Tinódi Lantos Sebestyén szobra (5) a végvári harcok énekmondójának, a belső várban Zrínyi Miklós szobra (3) a hős várvédő kapitánynak állít emléket. Az új emlékparkban II. Szulejmán szultán és Zrínyi Miklós várkapitány nagyméretű szobrai (2) állnak. A római katolikus plébániatemplomot (4) a 16. században épült Ali pasa dzsámijából alakították ki 1788-ban, két minaretje a bizonyíték erre.

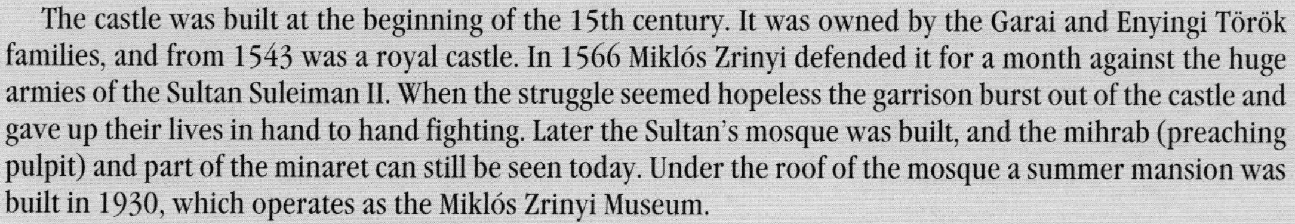

The castle was built at the beginning of the 15th century. It was owned by the Garai and Enyingi Török families, and from 1543 was a royal castle. In 1566 Miklós Zrinyi defended it for a month against the huge armies of the Sultan Suleiman II. When the struggle seemed hopeless the garrison burst out of the castle and gave up their lives in hand to hand fighting. Later the Sultan's mosque was built, and the mihrab (preaching pulpit) and part of the minaret can still be seen today. Under the roof of the mosque a summer mansion was built in 1930, which operates as the Miklós Zrinyi Museum.

There is a statue of Sebestyén Tinódi Lantos, composer of ballads to the defenders of the Hungarian frontier, and in the inner castle a statue to the hero of the garrison, Miklós Zrinyi. In the new Memorial Park there are large statues to Suleiman II and Miklós Zrinyi. The 16th century Ali Pasa mosque was converted into the Catholic parish church in 1788, as can be seen from the two minarets which still survive.

Die Burg stammt aus dem 15. Jh. Sie gehörte den Familien Garai und Enyingi Török. Seit 1543 ist sie eine königliche Burg. Der Burghauptmann Miklós Zrínyi hat die Belagerung durch die übermächtigen Türken unter Sultan Suleiman II. einen Monat durchgehalten. Als sie die hoffnungslose Lage erkannten, wagten sie einen Ausbruch und verloren im Nahkampf ihr Leben. Nach der Einnahme wurde die „Camii" gebaut, die Gebetsnische und ein Teil des Minaretts sind noch erhalten. 1930 wurde das Sommerschloß dazugebaut, in dem jetzt das Miklós Zrínyi Museum ist.

Im Schloß stehen die Statuen des Sebestyén Lantos Tinódi, dem Moritaten- und Volks-sänger der die Grenzburgen bereiste und die Statue des Burghauptmanns Miklós Zrínyi. Im neuen Gedenkpark stehen die Großstatuen von Suleiman II. und Miklós Zrínyi. Die rk. Stadtkirche wurde aus dem „Camii" (*Dszámi*) des Ali Pascha aus dem 16. Jh. umgewandelt, erkennbar an den zwei Minaretten.

2

1

MACAR-TÜRK
DOSTLUK PARKI
1994

4

3
ZRINYI MIKLOS
1508–1566

5
TINÓDI LANTOS
SEBESTYÉN

ÉCS

96–97

A Dél-Dunántúl központjának főterén áll Gázi Kászim pasa dzsámija – ma belvárosi plébániatemplom (5) –, a Magyarországon megmaradt legnagyobb török épület. A tér dísze Pátzay Pál alkotása, a nagy törökverő Hunyadi Jánost ábrázoló szobra és az 1900 körül Zsolnay Vilmos alkotta szecessziós Zsolnay-kút.

A 19. század végén neoreneszánsz stílusban épült Csontváry Múzeumban a látogató Csontváry Kosztka Tivadar festőművész csodálatos festményeiben gyönyörködhet. Az előtte lévő téren tekinthetők meg a világörökség részévé vált híres ókeresztény sírkápolnák (2; 3), köztük a római katakombák falképeire emlékeztető, az Ókeresztény mauzóleum falait borító festmények. Szepessy Ignác 19. századi pécsi püspök szobra mögött emelkedik a székesegyház (4). A 11. században épült fel az altemplom, majd a 12. században a dóm és a négy tornya. A mai formája a 19. század végén Schmidt Frigyes bécsi építész tervei szerint alakult ki. Legnagyobb értékei Lotz Károly és Székely Bertalan freskói, a 15. század végi alabástrom epitáfium, és a 16. századi vörös márvány pasztofórium.

A klasszicista stílusú Vasarely Múzeum (1) a város világhírű művész szülötte, Victor Vasarelynek 150 alkotását mutatja be. A gótikus, majd reneszánsz és barokk stílusban épült Zsolnay Múzeumban az ugyancsak világhírű pécsi Zsolnay Porcelángyár remekművei láthatók.

In the main square of Pécs, the centre of the Southern Transdanubian region, is Hungary's largest surviving building from the Turkish period, the Gazi Kassim Pasa Mosque, now the inner city's parish church. The decoration of the square was designed by Pál Pátzay, and includes a statue of the great fighter against the Turks János Hunyadi, and the Zsolnay Well in Succession style by Vilmos Zsolnay.

In the Neo-renaissance Csontváry Museum dating from the end of the 19th century, are the wonderful paintings of Kosztka Tivadar Csontváry. In the square in front of the Museum is the ancient Christian mausoleum, a world heritage site, together with its wall-paintings, which are reminiscent of the Roman catacombs. Behind the statue of Ignác Szepessy, a 19th century Bishop of Pécs, is the cathedral. The lower church was built in the 11th century, and the main building and the four towers in the 12th. The present form dates to the redesign by the Viennese architect Frigyes Schmidt, carried out at the end of the 19th century. The most valuable features of the church are the frescoes by Bertalan Székely and Károly Lotz, the alabaster epitaph from the end of the 15th century, and the 16th century red marble pastoforium.

The Classical style Vasarely Museum contains 150 works by the world famous Victor Vasarely, who was born in the city. The Zsolnay Museum, built in Renaissance and Baroque style houses excellent pieces from the equally famous Zsolnay Porcelain Factory.

Auf dem Hauptplatz der südungarischen Stadt steht das größte, erhalten gebliebene türkische Gebäude Ungarns, die „Camii" des Paschas Gázi Kászim, sie ist heute Stadtkirche. Die Zierde des Platzes sind die Statue von Pál Pátzay, die den Türkenverteiber János Hunyadi darstellt und der Zsolnay Brunnen, im Secessionsstil von Vilmos Zsolnay aus 1900.

In dem Ende des 19. Jh. im neorenaissance Stil gebaute Csontváry-Museum kann der Besucher die wunderschönen Gemälde des Kunstmalers Tivadar Kosztka Csontváry bestaunen. Die zum Weltkulturerbe zählenden altchristlichen Grabkapellen und die Wand-malereien des altchristlichen Mausoleums, die an Wandbilder der römischen Katakomben erinnern, sind auf dem Platz vor dem Museum. Die Kathedrale erhebt sich hinter der Statue des Bischofs Ignác Szepessy von Pécs, aus dem 19. Jh. Aus dem 11. Jh. stammt die Unter-kirche und im 12. Jh. wurde darauf die Kathedrale mit den vier Türmen erbaut. Ihre heutige Form bekam sie nach den Plänen des Wiener Architekten Friedrich von Schmidt im 19. Jh. Die größten Schätze sind Fresken des Bertalan Székely, die aus dem 15. Jh. stammende Alabaster Wandgrabplatte, sowie das aus rotem Marmor gefertigte Tabernakel.

Das im klassizistischen Stil gebaute Vasarely-Museum zeigt 150 Werke des weltberühmten Pécser Künstlers Victor Vasarely. Im Zsolnay-Museum, das im gotischen, und barocken Stil gebaut wurde, sind Arbeiten der Zsolnayer Porzellanmanufaktur ausgestellt.

2

3

1

4

5

SIKLÓS

98–99

A vár (4) a 13. században épült. 1401-ben öt hónapig itt őrizték Zsigmond királyt. A Garaiak építették gótikus várkastéllyá a 15. században. Utána Mátyás királyra szállt, ő fiának, Corvin Jánosnak adta. A 16. században a Perényi családé, emléküket reneszánsz faragványok (3) őrzik a várban és a kápolnában. A törökök közel 150 évig birtokolták. A 18. században a Batthyány család a várkastélyt egy emelettel bővítette barokk stílusban.

A szabálytalan négyszög alakú várkastély épületszárnyai négyszögű udvart fognak közre. Kapuja fölött a Batthyány család címere látható. A 15. századi várkápolna (5) a magyar késő gótikus építészet kiemelkedő példája. Értékes a szentély hálóboltozata. A freskók 15. századiak. A vár déli oldalán látható a zárt, gótikus erkély. Az emeleti részen a Perényiek címerével díszített reneszánsz kandalló (2) kiemelkedő érték. A város borpincéi szívesen látják a vendégeket. Rendezvényeken a Borrend tagjaival is találkozhatnak, a várban borászati kiállítás van.

The castle was built in the 13th century, and in 1401 King Zsigmond was guarded here for five months. The Garai family built the Gothic style castle mansion in the 15th century. Later it was taken over by King Mátyás, and then granted to his son János Corvin. In the 16th century it passed to the Perenyi family, and in the castle and chapel their memory is preserved in Renaissance carvings. The Turks held the castle for about 150 years. In the 18th century the Batthany family added another storey in Baroque style to the castle mansion.

The irregular ground-plan wings of the castle mansion enclose a four-sided courtyard. Above the entrance can be seen the crest of the Batthany family. The 15th century castle chapel is one of the finest examples of late Gothic in Hungary, with frescoes also dating from the 15th century. The closed Gothic balcony can be seen on the southern side of the castle. In the upper floor the Renaissance fireplace with its Perényi family crest is particularly interesting. The town's wine-cellars are open to guests, and host meetings of the Borrend (Order of Wine). In the castle is a viticulture museum.

Die Burg stammt aus dem 13. Jh. König Zsigmond war hier 1401 fünf Monate lang arrestiert. Im 15. Jh. baute sie die Familie Garai zum gotischen Burgschloß um. Der nächste Besitzer war König Mátyás, der es seinem Sohn Corvin János vermachte. Im 16. Jh. gehörte es der Familie Perényi, an sie erinnern die Renaissance Schnitzereien im Burgschloß und in der Kapelle. Die Türken hatten sie 150 Jahre lang besetzt. Im 18. Jh. hat die Familie Batthyány eine Etage im Barockstil aufgebaut.

Das unregelmäßige Viereck der Gebäudeflügel des Burgschlosses umsäumt den quadra-tischen Burghof. Über dem Eingangstor ist das Wappen der Familie Batthyány. Ein vor-zügliches Beispiel der ungarischen Spätgotik ist die Burgkapelle aus dem 15. Jahrhundert mit den schönen Fresken und dem wertvollen Netzgewölbe des Sanktuariums. Auf der Südseite des Schlosses ist der geschlossene gotische Balkon. Besonders wertvoll ist der Renaissance Kamin in der ersten Etage mit dem Wappen der Familie Perényi. Die Weinkeller der Stadt stehen für Besucher offen. Auf Veranstaltungen kann man die Mitglieder der Weinwächter treffen. Auf dem Schloß ist eine Ausstellung über Weinbaukunde zu besichtigen.

SZEKSZÁRD

Az egykori vármegyeháza (3) az I. Béla alapította bencés apátság romjaira épült a 19. század első harmadában, Pollack Mihály tervei szerint klasszicista stílusban. Az udvarán feltárt kolostor templomának alapfalai megtekinthetők. 1898 óta a város szülöttének, a Háry János költőjének, Garay Jánosnak a szobra (5) a nevét viselő téren áll. Babits Mihály copf stílusú szülőháza emlékmúzeum (1), udvarát a költő szobra díszíti. A Wosinszky Mór Múzeum (2) a város kiváló régészéről kapta a nevét. Az ő ásatásainak az eredménye az őskori gyűjtemény. Láthatjuk itt a környéken feltárt trák, római és középkori leleteket is.

Az 1820-ban klasszicista stílusban épült Augusz-házban (4) gyakran adott hangversenyt Liszt Ferenc, akkor ott is szállt meg. Ma zeneiskola működik benne, s megtekinthető a Liszt Ferenc-emlékszoba. A falán látható emléktáblán olvasható, hogy Augusz Antal báró, a ház tulajdonosa kérte fel Lisztet a „Szekszárdi mise" megírására. A mögötte lévő parkban áll Liszt Ferenc mellszobra, Borsos Miklós alkotása. A város értékes szobra a Varga Imre alkotta „Prometheus" (6).

2

The former County Hall was designed in Classical style by Mihály Pollack and built in the first third of the 19th century on the ruins of the Benedictine Abbey founded by Béla I. The preserved foundation walls of the abbey church can be seen in the courtyard. Since 1898, a statue of János Garay, poet and author of Janós Hary, has stood in János Garay Square. The Copf style home of the poet Mihály Babits is now a memorial museum, with a statue of Babits in the courtyard. The Mór Wosinszky Museum is named after the excellent archaeologist who came from the town and the prehistoric collection is the result of his excavations. The museum also has collections from the Roman, Thracian and Medieval periods.

The Augusz House, built in 1820 in Classical style, often hosted concerts by Ferenc Liszt when he visited the town. It is now a music school and there is a memorial statue of Ferenc Liszt on display. On the wall is a plaque which records how Baron Antal Augusz, the owner of the house, asked Liszt to write the Szekszárd Mass. In the park behind the house is a bust of Liszt by Miklós Borsos. Another fine statue is the 'Prometheus' by Imre Varga.

3

Das ehemalige Komitatshaus wurde auf den Ruinen, der von Béla I. gegründeten Benedik-tinerabtei, nach Plänen von Mihály Pollack, Anfang des 19. Jh. im klassizistischen Stil gebaut. Die Grundmauern der Klosterkirche sieht man im Hof. Die Statue des Dichters János Garay, eines berühmten Sohnes der Stadt, steht seit 1889 auf dem, nach ihm benannten Platz. Das Geburtshaus von Mihály Babits ist ein Museum im Zopfstil, dessen Hof mit der Statue des Dichters geschmückt wird. Das Mór Wosinszky-Museum ist nach dem bekannten Archäologen der Stadt benannt. Die Urzeitsammlung zeigt die Ergebnisse seiner Ausgrabungen. Es werden auch trakische, römische und mittelalterliche Funde gezeigt.

In dem 1820, im klassizistischen Stil gebauten Haus Augus gab Franz Liszt öfters Konzerte und wohnte hier. In der heutigen Musikschule befindet sich das Zimmer von Liszt. Auf der Wandgedenktafel ist zu lesen „Baron Antal Augus, der Besitzer des Hauses, bat Franz Liszt die Messe für Szekszárd zu komponieren". Im dahinterliegenden Park steht die Büste von Liszt, ein Werk des Miklós Borsos. Eine wertvolle Statue in der Stadt ist der Prometheus des Imre Varga.

1

❺

❻

AJA

102–103

A Duna és a Kamarás-Duna (Sugovica) (1) jellegzetes „vízi városa". A Városháza (4) a 18. század második felében épült, egykori Grassalkovich-palota 19. század végén neoreneszánsz stílusban átépített épületében található. Dísztermének freskói Szurcsik János alkotásai 1978-ból. A Türr Istvánról elnevezett múzeumban (3) tekinthetjük meg a város történetét, néprajzát, valamint a névadó emlékkiállítását a város híres szülöttéről, a Korinthosi-csatorna építőjéről.

A korábbi épület felhasználásával, késő klasszicista stílusban a 19. század közepén készült el a volt zsinagóga (5), amelynek mennyezetfestése romantikus, s 1985 óta az Ady Endre Városi Könyvtár otthonául szolgál. A nagy szerb görögkeleti templom (7) a 18. század végén épült késő barokk stílusban, ikonosztázának szentképeit egy szerb festő festette. A város neves szülöttének, a nagy világutazó Jelky Andrásnak a szobrát Medgyessy Ferenc alkotta.

A város Európa-szerte ismert rendezvénye július második szombatján a bajai halászlé-főzőverseny.

Baja is the characteristic 'water town' of the Danube and the Kamarás-Danube (Sugovica). The Town Hall was built in the second half of the 18th century and can be found in the former Grassalkovich Palace, which was converted at the end of the 19th century in Neo-renaissance style. The reception hall contains frescoes painted in 1978 by János Szurcsik. In the István Türr Museum there are exhibitions featuring the town's history and folklore and the Museum is named after the builder of the Korinthos Canal, István Türr, who came from Baja himself.

Using an older building, the former Synagogue was built in late Classical style in the middle of the 19th century. It has a Romantic style painted ceiling, and is now home to the Endre Ady Town Library. The large Serbian Greek Catholic church was built at the end of the 18th century in late Baroque style. Its iconostasis is the work of a Serbian painter. The town's famous traveller, András Jelky, is remembered in a statue by Ferenc Medgyessy.

The town is known throughout Europe for its famous fish cooking competition held on the second Saturday in July.

Die Stadt ist eine typische Wasserstadt an den Ufern der Donau und der Kamarás-Duna (Sugovica). Das Rathaus ist im ehemaligen Grassalkovich Schloß aus dem 18. Jh., das am Ende des 19. Jh. im neorenaissance Stil umgebaut wurde. Die Fresken im Prunksaal sind von János Szurcsik 1978. Im Museum von István Türr sind Volkskunde und Geschichte, sowie sein Lebenswerk ausgestellt. Er war an den Kanalbauarbeiten der „Straße von Korinth" beteiligt.

In der ehemaligen Synagoge, im spätklassizistischen Stil aus der Mitte des 19. Jh. mit romantischer Deckenbemalung, ist seit 1985 die Endre Ady Stadtbibliothek. Die serbische, griechisch-orthodoxe Kirche wurde im 18. Jh. im Spätbarockstil gebaut. Die Ikonostase wurde von einem serbischen Kunstmaler gemalt. Die Statue von András Jelky, dem Weltreisenden Sohn der Stadt, stammt von Ferenc Medgyessy.

Europaweit bekannt ist der, am zweiten Samstag im Juli, stattfindende Fischsuppen-kochwettbewerb.

2

3

1

SZEGED

104–105

Az 1879-es árvíz utáni évben a városatyák fogadalmat tettek, hogy a város újjáépítésének emlékére monumentális templomot építenek. A Fogadalmi templomot (1; 2) Schulek Frigyes átalakított tervei szerint 1913–14-ben és 1923–30-ban építették. A tornyok 1914-ben elért magasságát a Szózat sorai jelzik. A neoromán stílusú templomot kívülről Szűz Mária 3 méteres márványszobra, mellette kétoldalt Szent István, Szent László, a boltív alatt Kapisztrán Szent János és Szent Gellért szobrai láthatók. A homlokzat mozaikképei a tizenkét apostolt ábrázolják. A templom belseje is rendkívül gazdag képző- és iparművészeti alkotásokban. A legértékesebb mű Fadrusz János „Krisztus a keresztfán" című, az 1900. évi párizsi nemzetközi kiállításon nagydíjat kapott szobra.

A Szegedi Szabadtéri Ünnepi Játékoknak 1931-től kisebb-nagyobb megszakításokkal a dóm megfelelő hátteret biztosít. A Dóm teret övező épületek árkádsorai alatt az – 1931-ben létesített – Nemzeti Emlékcsarnok (5) szobrai és domborművei történelmi, irodalmi, művészeti és tudományos nagyságokat ábrázolnak. Az alsóvárosi késő gótikus templom (7) – Mátyás király támogatásával – a 15. század végén épült fel. A Közművelődési Palota és a Móra Ferenc Múzeum (4) a millennium évében épült eklektikus-neoklasszicista stílusban, s igen gazdag a történeti, a régészeti, a népművészeti és képzőművészeti anyaga. Az Új vagy Nagyzsinagóga (3) Európa egyik legszebb, hazánk második legnagyobb zsinagógája. A 20. század elején már szecessziós stílusban épült Löw Immánuel főrabbi elgondolása alapján. A Szegedi Nemzeti Színház (6) 1883-ban készült eklektikus stílusban.

1

In the year following the floods of 1879, the city fathers promised to erect a huge church to commemorate the rebuilding of the city. The 'Pledge Church' was built between 1913–14 and 1923–30 using redesigned plans originally drawn up by Frigyes Schulek. The height the towers were built to in 1914 was recorded in the famous poem, 'Szózat'. Outside the Neo-romanesque style church there is a 3-metre statue of the Virgin Mary, flanked by statues of St. István and St. László. In the arch can be seen the statues of St. John and St. Gellert. The mosaics on the facade depict the twelve Apostles. There are exceptionally rich art and craft works inside the church as well. The most noteworthy is the statue 'Christ on the Cross', by János Fadrusz which won a special prize at the 1900 Paris International Exhibition.

The Church has been the perfect backdrop for the Szeged Celebratory Openair Games, which have been held more or less every year since 1931. The arcades of the buildings around the Church Square feature the statues and reliefs of the National Memorial Way with great figures from Hungary's history, literature and arts. The late Gothic church in the lower town was built at the end of the 15th century with the support of King Mátyás. The Palace of Public Culture and the Ferenc Móra Museum were built in the year of the Hungarian Millenium in eclectic-Neo-classical style and contain rich historical, archaeological, folklore and fine art collections. The New, or Great Synagogue is the second largest in Hungary and one of the finest in Europe. It was built at the beginning of the 20th century in Succession style following the ideas of the Chief Rabbi, Immanuel Löw. The Szeged National Theatre was built in eclectic style in 1883.

Nach dem verheerenden Hochwasser von 1879 legten die Stadtväter ein Gelübde zum Bau einer monumentalen Kirche ab. Diese Gelübde-Kirche wurde nach Plänen von Frigyes Schulek 1913–14 und dann von 1923–30 gebaut. Die Türme wurden auch in einem Gedicht erwähnt. Um den neoromanischen Dom stehen die Statuen der Hl.Maria, daneben die Hl. István und László und unter dem Gewölbe der Kapisztrán János und Hl. Gellért. Die Mosaikbilder des Giebels stellen die zwölf Apostel dar. Der Innenraum der Kirche ist reich an Figurenschmuck. Die wertvollste darunter ist die Statue „Christus am Kreuz" des János Fadrusz, die auf der Pariser Weltausstellung 1900 einen großen Preis gewann.

Zu den seit 1931 stattfindenden Freilicht-Festpielen bietet der Dom eine imposante Kulisse. Unter den Arkaden am Domplatz stehen Figuren der Größen von Kunst, Geschichte, Literatur und Wissenschaft. Die spätgotische Kirche der Unterstadt ist mit der Unterstützung des Königs Mátyás Ende des 15. Jh. gebaut worden. Der Kulturpalast mit dem Ferenc Móra Museum wurde im eklektischen, neoklassizistischen Stil im Millenniumsjahr gebaut und beherbergt bedeutende geschichtliche, archäologische, volkskundliche Sammlungen und Material der Bildenden Kunst und Literatur. Die Neue oder Große Synagoge ist eine der schönsten Europas und die zweitgrößte in Ungarn. Sie wurde um 1900 im Secessionsstil nach den Vorstellungen des Rabbi Immanuel Löw gebaut. Das Nationaltheater wurde 1883 im eklektischen Stil gebaut.

2

A KÖZMŰVELŐDÉSNEK

ÓPUSZTASZER

896-ban Szer községben alkottak törvényt a honfoglaló magyar törzsek. Vezetőjük, Árpád fejedelem emlékműve 1896 óta áll az első országgyűlés színhelyén, a Nemzeti Történeti Emlékparkban (5), amelynek a megteremtésén 1970 óta fáradoztak. Feltárták a 13. századi szeri monostor romjait, a leleteket kiállításon mutatják be. A Szabadtéri Néprajzi Múzeumban megtekinthető egy szentesi tanya, egy pusztaszeri iskola (3), egy vásárhelyi olvasókör, egy kovács-bognár-szíjgyártó műhely, egy makói hagymásház, kocsikiállítás, a tömörkényi községháza, a postamúzeum, a napsugaras ház, a szatócsbolt és a pékség, a tűzoltószertár, mezőgazdasági gépkiállítás, a szentes-donáti szélmalom. Feszty Árpád festő 1891-ben Franciaországban találkozott a körkép műfaj egyik kiválóságával. Apósa, Jókai Mór rábeszélésére elhatározta, hogy festő barátaival együtt maga is létrehoz egy hatalmas méretű műalkotást. A magyarok bejövetele címet adta neki. Feszty a Vereckei-hágó közelében, a Volóci-völgyben sok vázlatot készített a tájról, ebbe komponálta bele a több ezer alakos, 120×15 m nagyságú körkép részleteit. Huszonegynéhány festőtársával több mázsa festéket vittek fel a Belgiumban szövött vászonra közel két év alatt.

A mai Szépművészeti Múzeum helyén álló épületben 1894. május 13-án láthatták először a körképet. 1944 telén súlyos sérüléseket szenvedett a világ egyik legnagyobb festménye. A honfoglalás 1100. évfordulójára készülve egy lengyel restaurátorcsoporttal helyreállíttatták a gigantikus művet, s 1995 nyara óta óriási érdeklődés kíséri ezt is, és a viselettörténeti kiállítást is (2).

Csete György és Dulánszky Jenő építészek tervezték meg a jurta formájú épületeket, melyek egyike a Világ Magyarjainak a Háza, a többiben *„Az ember és az erdő”* című erdészettörténeti kiállításban (1) gyönyörködhetünk.

1

In 896 in the area around Szer the settling Hungarian tribes established their laws. A memorial to their leader, Árpád was erected in 1896 at the site of the first national meeting-place, now the National Historical Memorial Park, which has been developed since 1970. The remains of the 13th century Szer monastery were discovered and can be viewed here. In the Open Air Folk Museum visitors can see the Szentes Farm, the school from Pusztaszer, a reading circle from Vásárhely, a workshop used by smiths, cartwrights and saddlemakers, a Makó onion house, a carriage exhibition, the community house from Tömörkeny, the Postal Museum, the Sunlight House, the grocer's store and the bakery, a fire station, an exhibition of agricultural machinery, and the Szentes-Donát windmill. During his stay in France in 1891, the painter Árpád Feszty encountered some excellent examples of the panoramic round painting style. His father-in-law, the writer Mór Jókai, persuaded him to work with other artists to produce a huge joint work, with the title of the 'Coming of the Hungarians'. Feszty prepared many sketches in the region of the Verecki Pass and the Volóci Valley, and used them to paint the details of the 120 x 15 metre panoramic picture with its thousands of figures. With some 21 fellow painters he took two and a half years and several hundredweight of paint to cover the enormous canvas woven in Belgium.

On 13th May 1894, the picture was housed in a building which stood where today's Fine Arts Museum now stands. The painting, one of the world's largest, suffered severe damage during the winter of 1944. In preparation for the 1,100th anniversary of the Hungarian Settlement a team of Polish picture restorers worked on the great picture, and the restoration of the painting and the exhibition of costumes has aroused huge interest since the summer of 1995.

The architects György Csete and Jenő Dulánsky designed the yurt-like buildings, one of them the Home of the World Hungarian, the others housing the *"Man and the Forest"* archaeological history exhibitions.

2

An diesem Ort hielten die Stammesführer der Eroberer ihre erste Versammlung im Jahre 896 ab. Das Denkmal des Anführers der sieben Stämme, Árpád, steht seit 1896 im Historischen National Gedenkpark, dem Ort der ersten Parlamentsversammlung. Bei Ausgra-bungen wurde das Kloster aus dem 13. Jh. entdeckt, die Funde werden im Ruinengarten ausgestellt. Im Freilichtmuseum sind zu besichtigen. Ein Hof aus Szentes, eine Schule aus Pusztaszer, ein Lesezirkel aus Vásárhely, eine Schmiede mit Wagnerei und Zaumzeugwerkstatt, ein Zwiebelhaus von Makó, eine Wagenausstellung, das Postmuseum, das Gemeindehaus von Tömörkény, das Sonnenscheinhaus, ein Kramerladen mit Bäckerei, ein Feuerwehrhaus, eine landwirtschaftliche Maschinenausstellung und die Windmühle aus Szentes-Donát. Der Kunstmaler Árpád Feszty hat 1890 in Frankreich einen Rundbildmaler getroffen. Zurück in der Heimat wurde er von seinem Schwiegervater Mór Jókai bestärkt, mit seinen Freunden auch ein so riesiges Kunstwerk zu malen. Es hat den Titel „Ankunft der Ungarn“. Zuerst besuchte er das Volóci-Tal in der Nähe des Vereckei Bergpasses über den die Ungarn ins Karpatenbecken einwanderten, dort machte er viele Skizzen der Landschaft in die er dann mehrere tausend Figuren komponierte. Mit mehr als 20 Mitstreitern malte er in 2 Jahren auf den in Belgien gewebten Stoff von 120 x 15 m mit vielen Fässern Farbe das gigantische Bild.

Das Rundbild wurde zuerst am 13.Mai 1894 im heutigen Museum der schönen Künste ausgestellt. Im Winter 1944 wurde es schwer beschädigt. Zur 1100 Jahrfeier wurde es von einer polnischen Künstlergruppe restauriert und ist seit 1995, zusammen mit historischen Gewändern, wieder im Gedenkpark ausgestellt.

Die Architekten György Csete und Jenő Dulánszky haben die Gebäude in der Form ungarischer Jurten geplant. Eines ist den Ungarn der Welt gewidmet und in dem anderen ist die forstgeschichtliche Ausstellung *„Der Mensch und der Wald“.*

3

896–1896
4
5

KALOCSA

A házak ereszét díszítő száradó paprikafüzérek (2) az ételeknek különleges ízt adnak. A tornácokat virágdíszes falfestéssel ellátó pingálóasszonyok nagyon sok európai és világrendezvényen vesznek részt. A várost a leheletfinom csipke, a színes virágmotívumokkal ékesített hímzés (1) és népviselet jellemzi. A gyönyörű hímzéseket és viseleteket, a pingálóasszonyok csodáit tekinthetik meg a vendégek a kétszáz éves, nádfedeles, tornácos Népművészeti Tájházban. A Magyar Fűszerpaprika Múzeum földszintes épületében nyomon követhetjük a paprika termesztésének és feldolgozásának a történetét, munkaeszközeit. A kalocsai érsekséget Szent István király alapította 1009-ben, akkori alapokon épült a negyedik templom, a Főszékesegyház (5) a 18. század közepén, Mayerhoffer András tervei szerint olasz barokk stílusban. A főhomlokzati timpanonban „Szűz Mária a magyar szentekkel" című dombormű, felette Péter és Pál apostolok szobra látható. A főoltár képe – Szűz Mária mennybemenetele – osztrák festő műve. Kincstárában hímzett miseruhák, ötvösmunkák, Szent Istvánnak a millenniumra készült hermája (3) látható. Az érseki palotát (4) a Károly Róbert építette vár alapján emelték a 18. század második felében. Dísztermét, kápolnáját, könyvtárát F. A. Maulbertsch-alkotások díszítik.

The spicy paprika which decorate the eaves of the houses while they are hung out to dry give a special flavour to the food. The women who paint the veranda walls of their houses with decorative art take part in many European- and world events. The ethereal lace, the embroidery with its flower-motifs and the traditional costumes are characteristic of the town. The beautiful embroidery and costumes and the wonderful works of the 'Pingáló (painting) women' can be seen in the 200 year old thatched, Folklore Craft House. In the Hungarian Paprika Museum visitors can learn about paprika and the history of its production, and see the process and tools involved. The Archbishopric of Kalocsa was founded in 1009 by St. István, and the fourth church, the Cathedral Church was built on the foundations of older ones, in the middle of the 18th century, in Italian Baroque style, following plans drawn up by András Mayerhoffer. On the main facade is a relief entitled 'The Virgin Mary with the Hungarian Saints', and above this, the statues of the Apostles Peter and Paul. The main altar picture – the 'Entry of the Virgin Mary to Heaven' – is the work of an Austrian artist. In the church's treasury are ceremonial vestments, precious metalwork and a herm (a reliquary in the form of a bust of the King) prepared for St. István at the Millennium. The Archbishop's Palace was built on the site of Károly Róbert's castle in the second half of the 18th century. The reception hall, chapel and library are decorated with works by F. A. Maulbertsch.

Die an langen Schnüren zum Trocknen aufgereihten feurigen Paprika geben den Speisen ein besonderes Aroma. Die Frauen, die besondere Blumenmuster freihändig an Verandawände malen, zeigen ihr Können auf internationalen Veranstaltungen. Das Stadtbild wird von den hauchdünnen, filigranen Spitzen, den Stickereien mit bunten Blumenmotiven und den farbenfrohen Trachten der Frauen geprägt. Eine Auswahl davon, ist im 200 jährigen Heimatkunstmuseum ausgestellt. Das ungarische Gewürzpaprika Museum im Untergeschoß, zeigt die Geschichte und die Bearbeitung von der Pflanzung bis zum Pulver. Um 1009 gründete der Hl. Stephan das spätere Erzbistum Kalocsa. Die vierte Kirche, die früheren wurden zerstört, eine Kathedrale wurde Mitte des 18. Jh. nach Plänen von András Mayerhoffer im italienischen Barockstil gebaut. Im Timpanon ist ein Relief „Jungfrau Maria mit ungarischen Heiligen" und oberhalb sind die Statuen der Apostel Peter und Paul. Das Bild des Hauptaltars „Marias Himmelfahrt" ist das Werk eines österreichischen Malers. In der Schatzkammer sind die gestickten Messgewänder, Goldschmiedarbeiten und die Hermesstatue zum Millennium des Hl.Stephan. Das Erzbischofspalais wurde nach dem Vorbild der Burg von Károly Róbert im 18. Jh. gebaut. Dessen Kapelle, Prunksaal und Bibliothek werden mit Werken von F. A. Maulbertsch geschmückt.

4

5

Kiskőrös

Petőfi Sándor 1823. január 1-jén itt született egy földszintes, nádtetős parasztházban (3). Az épület két szobájában Petőfi Emlékmúzeumot rendeztek be. A ház eredetileg a 18. század végén készült. Az emlékmúzeumot 1880-ban Jókai Mór avatta fel. Berendezésének több darabja a Petrovics családé volt. Az itteni mellszobor (1861-ből) a legrégibb Petőfi-szobor (2). Az udvarban Petőfi híres fordítóinak mellszobrai állnak. A város nemrég a költő új szobrával gazdagodott (6).

Kiskőrös evangélikus temploma (4) a 18. század utolsó harmadában épült késő barokk stílusban, 1914-ben neogótikus ízlés szerint átalakították. Ebben a templomban keresztelték meg Petőfi Sándort.

A gyógyfürdő kellemes környezetben, hideg és meleg vizes ikergyógymedencével várja az üdülni, gyógyulni vágyókat. Az 53 °C-os, kloridot, jódot, brómot tartalmazó gyógyvizet a feltárt kút szolgáltatja.

Az egyik régi épületet szlovák tájháznak (1) rendezték be. A 18. században betelepült szlovákok utódainak népviseletében szerencsésen keverednek Bácska és Kalocsa népművészetének motívumai. A várostól néhány kilométerre fekvő Szücsi-erdő (5) természetvédelmi terület, megismerhetjük itt az ősi láperdők jellegzetes fáit és aljnövényzetét.

The poet Sándor Petőfi was born here on the 1st January 1823 in a single storey, thatched peasant house. The two rooms of the house are now open as the Petőfi Memorial Museum. The house was originally built at the end of the 18th century, and the memorial museum was officially opened by the writer Mór Jókai in 1880. Many of the internal fittings belonged to the Petrovics family. The bust of Petőfi which can be seen here is the oldest sculpture of him in existence, dating to 1861. Recently the town unveiled another statue of the poet.

Kiskőrös's Protestant church was built in the last third of the 18th century in late Baroque style, and converted according to Neo-gothic taste in 1914. It was in this church that Petőfi was christened.

The spa, in pleasant surroundings, has twin hot- and cold water pools and is open to all those looking for relaxation or therapy. The water is rich in chlorine, iodic salts and bromine and comes up at 53°C.

In one of the town's older buildings a Slovak Folk House has been established. The folk costumes of the descendants of the Slovaks who settled here in the 18th century are a fine combination of the folklore motifs of Bácska and Kalocsa. The Szücsi Forest, which lies some kilometres, from the town is an environmentally protected area which contains the characteristic flora and fauna of fenland woods.

Sándor Petőfi wurde am 1.Januar 1823 in einem schilfgedeckten Bauernhaus geboren. In den zwei Zimmern des Hauses, das Ende des 18. Jh. gebaut wurde, ist das Petőfi-Museum eingerichtet. Das Museum hat Mór Jókai 1880 eingeweiht. Mehrere Einrichtungsgegenstände gehörten der ursprünglich Petrovics genannten Familie. Die hiesige Büste von 1861 ist die älteste von ihm. Im Hof stehen die Büsten der Übersetzer seiner Gedichte. Die Stadt wurde mit einer neuen Petőfi-Statue bereichert.

Die ev. Kirche wurde im Spätbarockstil im letzten Drittel des 18. Jh. gebaut. 1914 wurde sie im neugotischen Stil umgebaut. In dieser Kirche wurde der kleine Sándor Petőfi getauft.

Das Heilbad erwartet im angenehmer Umgebung, mit Kalt und Warm Zwillingsbecken die Bade- und Kurgäste. Es hat eine 53 °C heiße, Jod- und Bromhaltige Salzwasserquelle.

In einem alten Haus wurde das Heimatmuseum der Slowaken eingerichtet. In die Volkstracht der eingewanderten Slowaken mischen sich Motive von Bácska und Kalocsa. In dem wenige km entfernten Naturschutzgebiet „Szücsi" sind die typischen Bäume und Pflanzen der Urmoore zu sehen.

2

1

3

4

5

6
PETÖFI

KISKUNFÉLEGYHÁZA

112–113

A város legszebb épülete a 20. század elején magyaros szecessziós stílusban épült Városháza (4). Falait Zsolnay-majolikadíszítés, tetőzetét mázas cserepek borítják, reprezentatív a díszterme is. A Hattyúház (3) a timpanonjában hattyúval díszített, klasszicista stílusú épület, vendéglőnek és mészárszéknek emelték a 19. század első harmadában. Petőfi Sándor édesapja bérelte éveken keresztül.

A Petőfi Emlékház helyén az 1820-as években egy másik ház állt. Lakás céljára Petőfi édesapja bérelte 1824-től 1830-ig. A mai ház 1840 körül épült, azóta többször átalakították. Egyik részében egy Petőfi-emlékeket bemutató kiállítás (5) van.

Móra Ferenc szülőháza most emlékmúzeum (1). Az író gyermekkorát bemutató dokumentumok, a szülei munkájával kapcsolatos néprajzi tárgyak láthatók itt. A Kiskun Múzeum a Kiskun Kapitányság székházának a 18. században barokk stílusban emelt épületben működik. Itt látható az alföldi betyárvilág emlékeit bemutató börtönmúzeum (6). Negyven éve az udvarán állították fel az 1860-ban épült négyvitorlás szélmalmot (2). A főépületben helytörténeti, néprajzi tárlat és nagy szülötte, Holló László festményeit reprezentáló kiállítás tekinthető meg. A Városi Fürdőben a gyógy-, a verseny- és a gyermekmedencéket a 47 °C-os alkalikus, radioaktív hévíz táplálja.

The town's finest building is the Succession style Town Hall built at the beginning of the 20th century. The walls are decorated with Zsolnay majolica, the roof is covered with glazed tiles, and the main hall is also typical of the period. The Hattyú (Swan) House, whose tympanum is decorated with swans, is a Classical style building which was built as a restaurant and slaughterhouse in the first third of the 19th century. The father of the poet Sándor Petőfi hired the building for many years.

On the site of the Petőfi Memorial House another house stood in the 1820s. It was lived in by Petőfi's father from 1824 to 1830. The present house was built in 1840 and has been rebuilt many times since then. In a part of the house an exhibition commemorating Petőfi can be seen.

Ferenc Móra's birthplace is now a memorial museum. Documents relating to the writer's childhood and craft objects connected to his parents' work can be seen here. The Kiskun Museum is located in the headquarters of the Kiskun Police District, an 18th century Baroque building. The prison-museum illustrates the way of life of highwaymen on the Alföld Plain. Forty years ago the four-branched windmill built in 1860 was restored in the courtyard. In the main building there are local history and folklore collections as well as a representative exhibition of the works of the great painter from the town, László Holló. The Town Spa includes a medicinal-, competition-, and children's pool, using the alkaline, radioactive medicinal water that emerges at 47 °C.

Das schönste Gebäude der Stadt ist das Rathaus, im ungarischen Secessionsstil, Anfang des 20. Jh. gebaut. Die Wände sind mit Zsolnay-Majolika verkleidet, das Dach mit glasierten Ziegeln gedeckt. Das Gasthaus mit Fleischerei ist im klassizistischen Stil 1819 gebaut worden. Im Timpanon sind Schwäne dargestellt. Dieses „Schwanenhaus" hatte der Vater des Sándor Petőfi lange Jahre gemietet.

An der Stelle des Petőfi-Gedenkhauses war das frühere Wohnhaus der Familie von 1824–1830. In einem Teil des heutigen, mehrmals umgebauten Haus von 1840, ist die Ausstellung.

Das Geburtshaus von Ferenc Móra ist heute ein Museum. Hier sind Dokumente aus seiner Kindheit und volkstümliche Utensilien seiner Eltern aufbewahrt. Das Kiskun-Museum ist im Barockgebäude am Sitz des früheren Kumanenhauptmanns. Hier ist auch das Kerker-Museum, das an die Vagabundenzeit der Betyáren erinnert. Vor 40 Jahren wurde im Hof eine, aus 1860 stammende Windmühle mit vier Flügeln aufgestellt. Im Hauptgebäude sind eine volkskundliche und geschichtliche Sammlung, sowie die Ausstellung der Gemälde des László Holló, eines Sohnes der Stadt. Die Quelle mit 47 °C heißem alkalischem und radioaktiven Heilwasser speist die Heil- und Kinderbecken des Städtischen Bades.

4
ruházati kisáruház
LAKÁSTEXTIL
CIPŐK
ÁRUHÁZ

5
Gyermekkor, diákévek

6

KECSKEMÉT

114–115

A Nagytemplom vagy az „Öregtemplom" (5) klasszicizáló, késő barokk stílusban épült a 18. század végén és a 19. század elején, mai tornyát a 19. század második felében emelték. Főoltárképe Krisztus mennybemenetelét ábrázolja barokk stílusban, a freskókat a 20. század elején Roskovics Ignác, a fali díszítményeit Lohr Ferenc festette. A templom tíz éve a kalocsai érsekség társszékesegyháza.

A Városháza (3) Lechner Ödön és Pártos Gyula tervei szerint épült a 19. század végén, magyaros szecessziós stílusban. Homlokzati harangjátéka óránként Kodály Háry-szvitjének dallamát játssza. Dísztermének üvegablakai, berendezése, impozáns csillárja jelentős értékek. Székely Bertalan faliképei a magyar történelem eseményeit ábrázolják a vérszerződéstől Ferenc József koronázásáig.

A Kodály Zoltán Zenepedagógiai Intézet középkori épületrészek felhasználásával a 18. század első harmadában még ferences kolostornak épült. A rendházat 1975-ben alakították át, s most a zeneszerző zenepedagógiai munkásságát ismerhetik meg benne a szakemberek. A 20. század elején kereskedelmi kaszinónak épült szecessziós stílusban a „Cifrapalota" (2), homlokzatát színes majolika és mozaikornamentika fedi. Jelenleg a Kecskeméti Képtár festményei láthatók benne. A volt zsinagóga (4) a 19. század második felében épült romantikus stílusban. Harminc éve felújították, előcsarnokában nagy élmény a Michelangelo-szobormásolatok megtekintése. A Magyar Naiv Művészek Múzeumában (7) Vankóné Dudás Juli és Balázs János alkotásai (1) is megtekinthetők. A Szórakaténusz Játékműhely és Múzeum (6) a hazánk területén játszott játékokról az őskortól a második világháborúig ad áttekintést.

1

The Large- or Old Church was built at the end of the 18th and beginning of the 19th century in late Baroque style, and the present tower was added in the second half of the 19th century. The main altar picture shows the entry of Christ into Heaven in Baroque style, the frescoes are by Ignác Roskovics and date from the beginning of the 20th century while the wall decorations are by Ferenc Lohr. The church has been a diocesan church in the Archbishopric of Kalocsa for the last ten years.

The Town Hall was built in Hungarian Succession style at the end of the 19th century, following plans drawn up by Ödön Lechner and Gyula Pártos. The bells on the main facade play a song from Kodály's Háry Suite every hour. The decorated windows, internal fittings and chandelier of the main Hall are of particular value. Bertalan Székely's wall paintings feature scenes from Hungarian history, from the Blood Oath, sworn by the early tribal chieftains to the crowning of Franz Joseph.

The Zoltán Kodály Music Teaching Institute is located in an early 18th century building which was constructed using earlier Medieval fragments and was used as a Fransiscan Monastery. The monastery was converted in 1975 and now the legacy of the great composer and music teacher continues in the Institute. At the beginning of the 20th century a Casino was built in the Succession style in the 'Cifra Palace', which features coloured majolica and mosaic decorations on its facade. Now the building is home to the Kecskemét Gallery. The former Synagogue was built in the second half of the 19th century in Romantic style. It was renovated thirty years ago and of great interest is a copy of a Michaelangelo statue in the porch. The work of Juli Vakóné Dudás and János Balázs can be viewed in the Museum of Hungarian Naive Arts. The Szórakatenusz Toy Workshop and Museum displays the toys used by children in Hungary from ancient times to the end of the Second World War.

2

Die Große Kirche, oder „AltKirche" wurde um 1800 im Spätbarockstil gebaut. Der Turm ist erst später fertig geworden. Das Hauptaltarbild zeigt „Christi Himmelfahrt" im Barockstil, die Fresken stammen von Ignác Roskovics aus dem 20. Jh. und die Wandbilder sind von Ferenc Lohr. Die Kirche gehört seit 10 Jahren zum Erzbistum Kalocsa.

Das Rathaus wurde nach Plänen von Gyula Pártos und Ödön Lechner Ende des 19. Jh. im ungarischen Secessionsstil gebaut. Das Glockenspiel lässt stündlich die Háry-Suite des Kodály erklingen. Die Glasfenster, die Einrichtung und der imposante Lüster des Ratssaales sind wertvoll. Die Wandbilder des Bertalan Székely zeigen die ungarische Geschichte von den Blutsverträgen bis zur Krönung von Franz Josef.

Das Musikpädogogische Institut Zoltán Kodály ist in dem ehemaligen Franziskanerkloster, das auf Resten eines mittelalterlichen Klosters aufgebaut wurde. Dieses Ordenshaus ist 1975 für die Tonkunst umgebaut worden, seither kann dort Musik studiert werden. Das „Cifrapalota" ist um 1910 im Jugendstil mit Mosaikornamenten und bunten Majolika gebaut worden. Hier ist die Gemäldesammlung von Kecskemét zu besichtigen. Die ehemalige Synagoge wurde in den Zweiten Hälfte des 19. Jh. im romantischen Stil gebaut. Vor 30 Jahren wurde sie renoviert und in die Vorhalle sind Kopien von Michelangelo-Statuen gestellt worden. Im Museum der ungarischen Naiven Kunst kann man die Werke von Vankóné Dudás Juli und János Balázs sehen. In der Szórakaténusz- Spielzeugwerkstatt und Museum sind Spielzeug und Spiele von der Steinzeit bis zum 2. Weltkrieg ausgestellt.

3

4

5

6

7

SZOLNOK

116–117

A Tisza-parti (3) város mint átkelőhely mindig fontos szerepet játszott az ország történetében. 1975-ben a város első említésének 900. évfordulóján itt adták át Közép-Európa egyik legkorszerűbb vasútállomását.

A Xavéri Szent Ferenc-kápolnát az 1733-ban pusztító pestis megszűnésének emlékére fogadalmi kápolnaként építették a 18. század közepén. A Kossuth tér dísze Kő Pál Kossuth szobra, amelyet az államférfi halálának 100. évfordulóján leplezték le. A Városháza eklektikus épületén az 1848 szeptemberében mondott Kossuth-toborzóbeszédre emlékeztető tábla áll. Az egykori Magyar király étterem és szálloda 1860-ban klasszicista stílusban emelt épületében működik a város történetét, népművészetét és képzőművészetét bemutató Damjanich János Múzeum (1; 2).

Az 1848–49-es szabadságharc tavaszi hadjáratának nyitánya volt az 1849. március 5-én lezajlott szolnoki csata, amelynek mai emlékoszlopa (4) Damjanich győzelmét hirdeti a Habsburg-sereg felett.

Damjanich Jánosnak és harcostársainak 1912-ben carrarai márványból készült emlékművet állítottak. 1902-ben nyílt meg a város Művésztelepe, amely otthont adott híres festőknek, grafikusoknak, szobrászoknak, így Bihari Sándornak, Fényes Adolfnak, Aba-Novák Vilmosnak, Koszta Józsefnek is.

A Tisza Szálló és Gyógyfürdő (5; 7) a 20. század első harmadában épült neobarokk stílusban, árkádsorát sgraffitóval díszítették. A feltárt 56 °C-os gyógyvíz táplálja a fürdőt. A Szolnoki Galéria a 19. század végén épült eklektikus zsinagógában (6) található.

This town on the banks of the River Tisza was a crossing point and always played an important role in the country's history. In 1975, on the 900th anniversary of the first mention of the town, one of Central Europe's most advanced railway stations was opened here.

In the middle of the 18th century the St. Francis Xavier Chapel was built as a votive chapel in memory of the victims of the plague in 1733. Kossuth Square features a statue of Kossuth by Pál Kő, which was unveiled on the 100th anniversary of the statesman's death. The memorial plaque on the eclectic style Town Hall commemorates Kossuth's recruitment speech made here in September 1848. The János Damjanich Museum, housed in a Classical 1860 building which was once the Hungarian Royal Restaurant and Hotel, shows the town's history and folk art and craft exhibits.

The Battle of Szolnok on March 5th 1849 was the overture to the Spring Campaign in the 1849 Freedom War, and Damjanich's victory over the Hapsburgs is commemorated in a memorial column.

A monument in Carrara marble was set up to János Damjanich and his fellow combatants in 1912. In 1902 the town's Artist Colony was opened and provided a home for famous painters, graphic artists and sculptors, such as Sándor Bihari, Adolf Fényes, Vilmos Aba-Novák, and József Koszta.

The Tisza Hotel and Medicinal Baths was built in the first third of the 20th century in Neo-baroque style, its arcades decorated with sgrafitto work. The spa's water comes up at 56 °C. The Szolnok Gallery is located in the eclectic style Synagogue, dating from the end of the 19th century.

Die Stadt am Theißufer hat als Flussübergang immer eine bedeutende Rolle in der Geschichte des Landes gespielt. Zu den 900 Jahrfeiern der Stadtgründung wurde 1975 der modernste Bahnhof Osteuropas, an die Stadt übergeben.

Aus dem 18. Jh. stammt die Gelübdekapelle Xavéri St. Ferenc, sie wurde gestiftet, zur Erinnerung an das Ende der Pest 1733. Die Zierde des Kossuth-Platzes ist die, zu seinem hundertsten Todestag enthüllte Statue von Pál Kő. An der Wand des Rathauses ist eine Erinnerungstafel an seine Werberede für den Freiheitskampf vom September 1848. In dem ehemaligen, im klassizistischen Stil 1860 gebautem Hotel und Restaurant zum „Ungarischen König“ ist heute das János Damjanich Museum mit Ausstellungen der Stadtgeschichte und Volkskunst.

Die erste Schlacht des Freiheitskampfes 1848/49 war in der Frühlingsoffensive hier am 5. März 1849 . Die Siegessäule erinnert an den Sieg des Damjanich über die Habsburger.

Das Denkmal aus Carrara-Marmor wurde 1912 zur Erinnerung an Damjanich und seine Mitkämpfer aufgestellt. Die 1902 eröffnete Künstlerkolonie bot zahlreichen Kunstmalern, Graphikern und Bildhauern Lebensraum, darunter waren: Sándor Bihari, Adolf Fényes, Vilmos Novák Aba und József Koszta.

Das Tisza Hotel und Gesundheitsbad wurde im Neobarockstil in der ersten Hälfte des 20. Jh. gebaut. Die Arkaden werden mit Sgraffito verziert. Das Heilwasser ist 56 °C heiß. Die Szolnoker Galerie befindet sich in der, Ende des 19. Jh. gebauten Synagoge.

❶

❷

❸

118–119

A székesegyházat (5) 1761–77 között építették klasszicizáló késő barokk stílusban, a Bécsben élő francia építész Canevale tervei szerint. A hatalmas falfelületeket csupán nagyméretű ablakok, a főhomlokzatot hat oszloppár, legfelül barokk apostolszobrok díszítik. A kupolafreskókat és a főoltár mögötti faliképet Maulbertsch festette.

A piarista templom és rendház (4) barokk stílusban épült a 18. század első felében. A homlokzat kőerkélye fölött Kalazanci Szent József, a rend alapítója és két gyerek szobra látható. A vele egybeépült rendház a rend noviciátusa.

A 18. század közepén épült a Gombás-patak kőhídja (1) barokk stílusban. Kétnyílásos, szobrok díszítik. 1849-ben a tavaszi hadjárat egyik győztes csatája itt zajlott le.

A püspöki palotát (3) a 18. század első harmadában kezdték építeni, Migazzi Kristóf püspök emeltette a 18. század végén. A kőkaput, a diadalívet (2) is ő építtette klasszicizáló késő barokk stílusban Canevale tervei szerint, Mária Terézia látogatására 1764-ben. A főpárkány feletti részt a királynő és férje, valamint a főhercegek domborművű képmásai díszítik.

A Vak Bottyán Múzeum Vác és környékének régészeti gyűjteményét, valamint várostörténeti, népművészeti és nyomdaipari emlékeket mutat be.

The cathedral church was designed by Canevale, a French architect living in Vienna, and built in classicising late Baroque style between 1761 and 1777. The huge wall surfaces are decorated with large windows and the main facade has six pairs of columns, topped with Baroque statues of apostles. The frescoes on the dome and the wall painting behind the altar are the work of Anton Maulbertsch.

The Piarist Church and monastery were built in Baroque style in the first half of the 18th century. Above the stone balcony on the facade are statues of St. József of Kalazanc, the founder of the order, and two children. The monastery, which dates from the same period was the novitiate of the order.

The Baroque bridge over the Gombas Stream was built in the middle of the 18th century. Its double arches are decorated with statues. One of the battles in the Spring campaign of the 1849 War of Liberation ended in a Hungarian victory here.

The Bishop's Palace was started in the first third of the 18th century, and completed by Bishop Kristóf Migazzi at the end of the century. The stone entrance and the triumphal arch were also completed by Migazzi, following plans drawn up by Canevale, for the visit of the Empress Maria Theresa in 1764. The section above the main cornice is decorated with reliefs of the Empress and her husband, and the Archduke.

The Bottyán Vak Museum illustrates the folklore and industrial crafts of the town, and contains town history and local archaeology exhibitions.

Die Kathedrale wurde 1761–77 im spätbarocken Stil nach Plänen, des in Wien lebenden französischen Architekten Canevale, gebaut. Die riesigen Wandflächen werden von Fenstern durchbrochen, der Hauptgiebel ist mit 6 Säulenpaaren eingesäumt, auf ihm stehen barocke Apostelfiguren. Die Fresken der Kuppel und das Wandbild hinter dem Hauptaltar malte Maulbertsch.

Die Piaristen-Kirche, das Ordens- und Novizenhaus wurden in der ersten Hälfte des 18. Jh. im Barockstil gebaut. Oberhalb des Steinbalkons stehen die Statue des Ordensgründers Hl. József Kalazanci und zwei Kinderfiguren.

Die Steinbrücke über den Gombás wurde im 18. Jh. im Barockstil gebaut und mit Statuen geschmückt. 1849 hat hier die gewonnene Schlacht des Frühlingsfeldzugs stattgefunden.

Den Bischofspalast baute der Bischof Kristóf Migazzi im 18. Jh. Das Steintor und den Triumphbogen hat er im Spätbarockstil, nach Plänen von Canevale, für den Besuch von Maria Theresia im Jahre 1764, dazubauen lassen. Oberhalb der Balustrade schmücken reliefartige Abbilder des Königspaares und der Großherzöge das Bauwerk.

Das Bottyán Vak Museum zeigt die archäologischen Funde von Vác und Umgebung, sowie die Stadtgeschichte, Volkskunst und Druckerei.

2

3

1

DOMVI
IGR 110

4

D. O. M.
IN HONOREM ASSUMTAE IN COELUM VIRGINIS
ET S. MICHAELIS ARCHANGELI
5

BALASSAGYARMAT

A volt Vármegyeháza (3) a 19. század első harmadában épült klasszicista stílusban. Itt dolgozott aljegyzőként Madách Imre (4) és különböző beosztásokban Mikszáth Kálmán, erre emlékeztetnek szobraik az épület mellett.

A 18. század első felében barokk stílusban épült római katolikus templom (2) egyik mellékoltárán XIII. Kelemen pápa a 18. század közepén ajándékozott Szent Felicián-ereklyéje látható üvegkoporsóban.

A késő eklektikus stílusú Palóc Múzeum (5) 1914-ben épült. Az 1891-ben alapított múzeum gazdag néprajzi gyűjteménnyel rendelkezik. Állandó kiállításának a címe: *„Paraszti ünnepek és hétköznapok Nógrád megyében az elmúlt 100 évben"*. A múzeum mögött a Palóc-udvar épületei: a 250 éves, ún. zsilipelt lakóház Karancskesziből, mellette kemence, tökmagolajprés, istálló és pajta. A múzeum körüli természetvédelmi területen Petőfi szobra Izsó Miklós, Kossuth és II. Rákóczi Ferenc szobra Holló Barnabás munkája. Új szobrászati alkotás a Millenniumi emlékmű (6).

A város ortodox zsidó temetőjében nyugszik a szülővárosa nevét felvevő Michel Gyarmathy, a párizsi Folies-Bergéres egykori művészeti vezetője.

The former County Hall was built in the first third of the 19th century in Classical style. Beside the building are statues commemorating the fact that the dramatist Imre Madách worked here as a deputy clerk, as did, in a separate department, the writer Kálmán Mikszáth,. At one of the side altars of the Baroque style Catholic church, built in the first half of the 18th century, Pope Clement XIII donated the glass coffin for the relics of St. Felician in the middle of the 18th century.

The late ecletic style Palóc Museum was built in 1914. The Museum, founded in 1891, has a rich folklore collection. There is a permanent exhibition entitled: *"Peasant life and festivals in Nograd County over the past 100 years."* Behind the Museum are the buildings in the Palóc Court: the 250 year old, so-called "canal lock" house from Karancskesz, with a kiln, marrow-oil press, stable and barn. In the environmentally protected area around the Museum, there are statues of the poet Petőfi, by Miklós Izsó, and of Kossuth and Ferenc Rakoczi II, by Barnabás Holló. The new sculpture is the Millenium Memorial.

In the town's Orthodox Jewish Cemetery lies Michel Gyarmathy, who took his name from his home town and was artistic director of the Folies-Bergéres in Paris.

Das ehemalige Rathaus wurde im klassizistischen Stil in der ersten Hälfte des 19. Jh. gebaut. Hier arbeitete Imre Madách als Vizenotar und auf verschiedenen Posten, Kálmán Mikszáth, an sie erinnern die Figuren vor dem Gebäude.

Auf einen Nebenaltar der barocken rk. Kirche aus dem 18. Jh. steht in einem Glassarg die Reliquie des Hl. Felician, ein Geschenk vom Papst Kelemen XIII.

Das Palóc-Museum wurde 1914 im späten eklektischen Stil erbaut. Das 1891 gegründete Museum hat eine reichhaltige Volkskundesammlung. Der Titel der Dauerausstellung lautet: *„Bauernalltag und Feste der vergangene 100 Jahre im Komitat Nógrád".* Hinter dem Museum sind Gebäude eines „Palóc Bauernhofes", ein 250 Jahre altes Wohnhaus aus Karancskeszi, daneben ein Backofen, eine Kürbiskernölpresse, sowie Stall und Remise. Um das Museum ist ein Naturschutzgebiet in dem eine Statue des Dichters Petőfi, vom Bildhauer Miklós Izsó und die Figuren von Kossuth und Ferenc Rákóczi II des Bildhauers Barnabás Holló stehen. Neu ist das Millenniumsdenkmal.

Auf dem jüdisch-orthodoxen Friedhof ruht Michel Gyarmathy, der seinen Familiennamen nach seinem Geburtsort annahm, er war der künstlerische Leiter des Pariser Folies Bergéres.

2

3

1

4

5

6

HOLLÓKŐ

122–123

A mintegy 400 lakosú palóc falu elsősorban annak köszönheti hírnevét, hogy 1987-ben a hagyományos népi építészet és tájalakítás élő emlékeként az UNESCO felvette a Világörökség-listára. A hegytetőn lévő belsőtornyos vár (2) külső várfalai aránylag épen megmaradtak, magasak a belső várfalak, az egykori palotaszárny több emelet magasságú. A 13. században épült ötszögletes öregtorony, a ciszterna maradványai és az eredeti kőfaragványok ma is megtekinthetők.

Az Ófalu fehérre meszelt, fatornyos római katolikus temploma (5) 1889-ben épült.

A Falumúzeumban a tisztaszoba festett-faragott bútorai, a magasra halmozott ágyneművel bevetett ágyak, a konyha és a kamra régi használati tárgyai a 19–20. század fordulójának lakberendezését reprezentálják. A Postamúzeum a Magyar Királyi Posta 19. századi világát mutatja be.

A Tájvédelmi Körzet kiállítóhelyén a Hollókői és a Kelet-Cserhát Tájvédelmi Körzet kőzetei, ősmaradványai láthatók. A szövő- és fafaragóház tevékenységét érdemes megtekinteni.

This village in the Palóc region, with its 400 inhabitants, is famous because in 1987 its traditional folk architecture, landscape and the living preservation of its traditions were recognised by UNESCO and it is now a World Heritage Site. The external walls of the castle on the hilltop survive relatively intact, the inner walls and the former living quarters of the castle also remain. A pentagonal keep was built in the 13th century, and the remains of the cistern and the original stone carvings can still be seen today.

The Old Village whitewashed wooden-towered Catholic church was built in 1889.

The Village Museum, with its carved and painted guest room furniture, its highly embroidered bed linen, its kitchen and the everyday objects and utensils, represent the interiors of the village at the turn of the 19th-20th centuries. The Post Museum shows the world of the Hungarian Royal Postal Service in the 19th century.

The Protected Area observation area shows the rocks and prehistoric remains from the Hollókő and Eastern Cserhát region. Also of interest are the weaving and wood carving.

Das Dorf mit 400 Einwohnern ist wegen dessen ursprünglichen Lebens und der bäuerlichen Landschaftsgestaltung, 1987 von der UNESCO zum Weltkulturerbe, ernannt worden. Die Außenmauer der Burg mit Innentürmen ist guterhalten am Berggipfel. Die inneren Mauern sind hoch und das ehemalige Wohnhaus ist mehrstöckig. Der fünfeckige Altturm aus dem 13. Jh. und die Trümmer der Zisterne, sowie die verzierten Steine sind noch zu sehen.

Die weißgestrichene rk. Kirche mit Holzturm, wurde 1889 im Altdorf gebaut.

Im Dorfmuseum werden die typischen bäuerlichen Stuben mit ihren Einrichtungen, die „schöne Stube“ mit gedrechselten, bemalten Möbeln und Betten, mit der aufgetürmten Bettwäsche, sowie Gegenständen aus Kammern und Küche, aus der Zeit der Jahrhundertwende gezeigt. Das Postmuseum zeigt die königliche ungarische Post im 19. Jh.

Auf dem Ausstellungsplatz des Naturschutzgebiets von Hollókö und Kelet-Cserhát werden paläontologische Funde gezeigt. Interessant ist auch das Haus der Weber und Holzschnitzer.

SZÉCSÉNY

Középkori elpusztult vára területén van az ismét szerzetesek lakta, barokk ferences kolostor (1). Középkori részei a sekrestye és a gótikus Rákóczi-szobaként ismert imaterem, a hagyomány szerint az 1705. évi országgyűlés idején itt lakott a fejedelem.

A kolostorhoz csatlakozik a 14. századi gótikus alapú barokk templom. A Forgách-kastély (2; 3) birtokosa a 17. század elejétől a 19. század közepéig a Forgách család volt. A kastély a 18. század közepére épült fel a régi vár anyagának felhasználásával. A 19. század fordulóján létesítették angol díszkertjét. A 19. század közepétől a kastély a Pulszky családé, itt élt Pulszky Ferenc, a híres jogtudós a 20. század elejéig.

A kastély most múzeum (4), Kubinyi Ferenc, a nógrádi reformkori politikus, természettudós és műgyűjtő nevét viseli. Nógrád régészeti és történelmi emlékeit őrzi, a táj élővilágát mutatja be sok vadásztrófeával. A Tűztorony (5) a 19. században épült, mai formáját 1929-ben kapta. Süllyed, ezért északnak dől.

The re-occuppied Baroque Franciscan monastery was built on the site of the ruined medieval castle. The medieval sections of the monastery include the sacristy and the Gothic Rákóczi Room. According to tradition the Count stayed here during the period of the 1705 national parliament.

The Baroque church, built on Gothic foundations is connected to the 14th century monastery. The Forgach mansion was owned by the Forgach family from the beginning of the 17th century to the middle of the 19th. The mansion was built in the middle of the 18th century using material from the ruined castle. There was an English garden here at the beginning of the 19th century, and from the middle of the 19th century, the mansion was owned by the Pulszky family and was the home of the famous lawyer Ferenc Pulszky who lived here at the beginning of the 20th century.

The mansion is now a museum, named after Ferenc Kubinyi, the politician, natural scientist and art collector who lived in Nograd during the 19th century. The museum contains the archaeological and historical treasures of Nograd county as well as flora and fauna and many hunting trophies. The Fire Tower was built in the 19th century, and took its present form in 1929. Because of its weight it leans slightly.

Auf dem Gelände der zerstörten mittelalterlichen Burg steht das barocke Franziskanerkloster, das wieder von Mönchen bewohnt ist. Aus dem Mittelalter sind noch die Sakristei und der gotische Gebetsraum, genannt das Rákóczi-Zimmer erhalten, in ihm hat der Sage, nach das Oberhaupt während der Reichsversammlung 1705 gewohnt.

Zum Kloster gehört auch die Barockkirche, mit gotischem Untergrund aus dem 14. Jh. Schloß Forgách gehörte vom 17. bis 19. Jh. der Familie Forgách. Das Schloß wurde bis Mitte des 18. Jh. mit den Resten der alten Burg aufgebaut. Im 19. Jh. haben sie einen Englischen Garten angelegt. Mitte des 19. Jh. erwarb es die Familie Pulszky. Hier lebte Ferenc Pulszky, ein berühmter Rechtsgelehrter, bis zum Anfang des 20. Jahrhunderts.

Das Schloß ist heute ein Museum und trägt den Namen Ferenc Kubinyi, er war ein Politiker der Reformzeit, Naturwissenschaftler und Kunstsammler. Es bewahrt die archäolo-gischen und geschichtlichen Funde von Nógrád und zeigt die Natur der Umgebung mit vielen Jagdtrophäen. Der Feuerturm stammt aus dem 19. Jahrhundert, seine heutige Form bekam er 1929. Der Turm sinkt und neigt sich nach Norden.

2

1

3

4

5

IPOLYTARNÓC

126–127

Határában Kubinyi Ferenc, a Magyar Nemzeti Múzeum későbbi igazgatója 1837-ben fedezte fel az ipolytarnóci kövesült fát. Már akkor három darabban feküdt a páratlan őslénytani ritkaság. Kubinyi boltozatot emeltetett a fa fölé. Ipolytarnóc közelében a Borókás-patak vízmosásban tárulnak elénk a több mint húszmillió éves ősvilági élet nyomai. Az egykori tengerekben élt cápák fogait, a hajdani erdőt alkotó növényfajok maradványait, lenyomatait, kövült és opálosodott fatörzsmaradványokat, az említett híres, óriási méretű, kövült fatörzset láthatjuk itt. Az ősvilági patakmederben az akkor élt állatok dagonyateknői is láthatók. Több mint ezerötszáz lábnyom, madaraké, ragadozóké és rinocéroszoké is felfedezhető benne.

A leletekhez kiépített sétaút vezet, amely a patakvölgyből a kövesült fát őrző épülethez visz. Itt üveg alatt látható a fának még egyben maradt, körülbelül tízméteres darabja. A csarnokszerű épületben a lábnyomos felszínt nézhetjük meg. Az egykori élet egy hatalmas megvilágított diaképen látható. Az egész világon egyedülállónak nyilvánították ezt a nevezetes földtani és őslénytani kincsesbányát.

At the edge of Ipolytarnóc Ferenc Kubinyi, later director of the Hungarian National Museum, discovered the petrified tree at Ipolytarnóc in 1837. At that time this exceptionally rare object was lying in three pieces. Kubinyi erected an arch over the tree. Near Ipolytarnóc the waters of the Borókás stream had preserved the remains of this 20 million year old tree. Shark's teeth from what was once an ocean, the vegetation that made up the ancient forest, tracks and prints, petrified and opalised remains of tree stumps and the famous huge petrified tree trunk can all be seen here. In the prehistoric streambed the wallowing places of the animals that once lived here are also visible. More than 1,500 footprints of birds, predators and rhinoceroses were also found here.

A specially built pathway leads to these exhibits from the stream valley to the building protecting the tree. Here, under glass can be seen a single 10 metre piece of the tree. In the hall the visitor can see the tracks and footprints, and a huge illuminated slide illustrates the flora and fauna of the prehistoric era. There is nothing quite like this valuable geographical and zoological treasure in the whole world.

An der Dorfgrenze ist der „Versteinerte Baum von Ipolytarnóc“ von Ferenc Kubinyi, dem späteren Direktor des Ungarischen Nationalmuseums, 1837 gefunden worden. Damals bestand diese paläontologische Seltenheit schon aus drei Stücken. Kubinyi lies ein Gewölbe über dem Baum errichten. In der Nähe von Ipolytarnóc haben Flussauswaschungen des Borókás die Spuren von über 20 Millionen Jahre alten Urzeitleben ans Tageslicht gebracht. Hier sind die Zähne des, im vorzeitlichen Meere lebenden Haifisches, Pflanzenreste der damaligen Wälder, Abdrücke und Versteinerungen von Bäumen zu sehen. Im alten Flussbett sieht man sogar die Suhlplätze der damaligen Tiere. Man erkennt über 1500 Spuren von Vögeln, Raubtieren und Rhinozerossen.

Vom Flußtal führt ein ausgebauter Spazierweg zu den Fundstellen und bis zum Gebäude mit dem Versteinerten Baum. Hier ist der größten Teil des Baumes, ein 10m langes Stück, unter Glas zu sehen. In dieser Halle kann man auch Oberflächen von Fußspuren betrachten. Das damalige Leben wird auf einem beleuchteten Diarama dargestellt. Der Fundort, aus dieser erdgeschichtlichen Zeit ist Weltweit einmalig.

FOOTPRINTS
SILICIFIED TREES

PARÁD

128–129

A parádi timsós gyógyvizekből a 18. század végén és a 19. század elején timsót állítottak elő. Utána csak gyógyfürdői célokra hasznosították, elsősorban a női betegségek gyógyítására hatásosak. Az első fürdőházat a 18. század végén építették.

A 19. század második felében újabb fürdőt és szállodákat létesítettek.

Parádfürdő központjában szanatórium és a gyógyfürdő kórház épületei állnak. A gyógyfürdőben ásványvízgyűjtemény tekinthető meg. A klub teraszos épületének étteremfalát Haranghy Jenő díszítette a magyar őstörténettel kapcsolatos vadászjeleneteket ábrázoló, és a reformkori Parádfürdőt bemutató festményekkel. Az egykori Erzsébet Királyné Parkhotel (5) a német faépítészet stílusának jeles példája.

A Károlyi-kastély (7) – Ybl Miklós tervei szerint – 1872-ben romantikus stílusban, 1885-ben neoreneszánsz stílusban épült. 40 hektáros kertje arborétum.

A Kocsimúzeumban (3; 6), az Ybl Miklós tervezte eklektikus Cifra-istállóban a kocsikészítés történetét, valamint sok 19. és 20. századi kocsit ismerhetünk meg. A vörösmárvány-borítású istállókban szép lovakban gyönyörködhetünk. A Palóc ház (1) 18. századi, fából készült ház.

2

Parád's alum salt medicinal water was used to produce alum at the end of the 18th and beginning of the 19th century. Later it was used exclusively for medicinal bathing, particularly for the treatment of gynaecological problems. The first bathing house was built at the end of the 18th century, and in the 19th century new bathing houses and hotels were erected.

In the centre of the Parád spa are the sanatorium and the medicinal baths, which also house a collection of mineral waters. On the terrace walls of the club's restaurant can be seen ancient Hungarian hunting scenes by Jenő Haranghy, and the 19th century paintings celebrating the new baths. The former Queen Elizabeth Hotel is an excellent example of the German style of wooden building.

The Károly Mansion was designed by Miklós Ybl and built in Romantic style in 1872, and then in Neo-renaissance style in 1885. There is an arboretum in the 40 hectare park.

The Coach Museum, in the Cifra Stables, designed in eclectic style by Miklós Ybl, features the history of coachbuilding, as well as many examples of 19th and 20th century coaches. There are beautiful horses in the red-marble covered stables. The Palóc House is an 18th century wooden house.

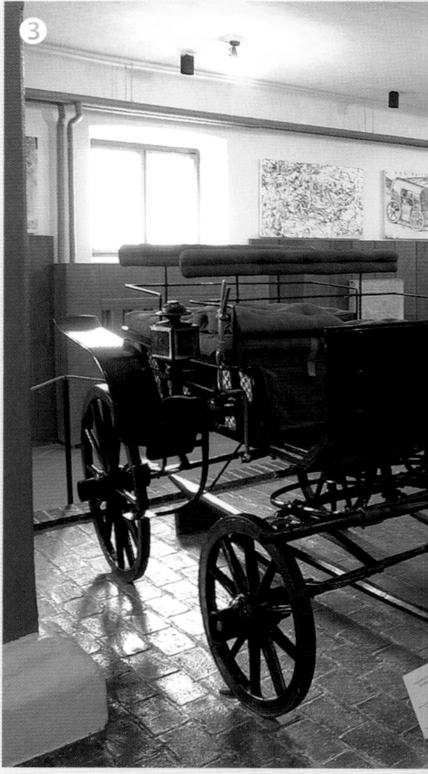

3

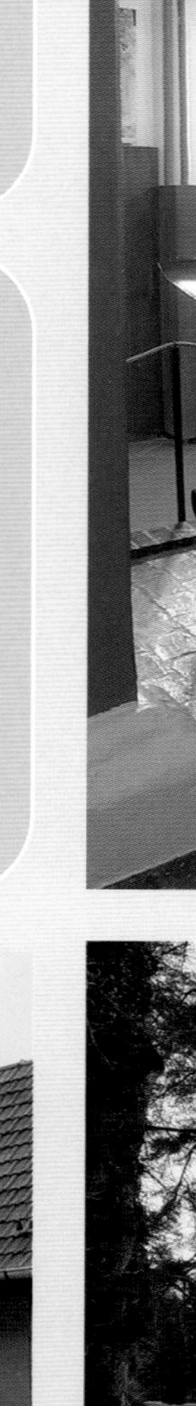

Aus dem alaunhaltigen Heilwasser wurde zur Wende des 18–19. Jh. Alaun hergestellt. Später wurde es nur noch zur Heilung von Frauenleiden verwendet. Das erste Badehaus wurde Ende des 18. Jahrhunderts erbaut.

In der zweiten Hälfte des 19. Jh wurden neue Bäder und Hotels gebaut. Im Zentrum von Parádfürdő stehen die Gebäude des Sanatoriums und Krankenhauses. Im Heilbad ist eine Mineralwassersammlung ausgestellt. Die Restaurantwand des Klubhauses wird mit Gemäl-den des Jenő Haranghy verziert, die Jagdszenen aus der ungarischen Urgeschichte und Parádfürdő in der Reformzeit zeigen. Das ehemalige Königin Elisabeth Hotel ist ein Beispiel für den deutschen Holzbaustil.

Das Károlyi Schloß, mit dem 40 ha großen Botanischen Garten, wurde nach Plänen von Miklós Ybl 1872 im romantischen Stil begonnen und 1885 im neorenaissance Stil fertig.

Im Kutschenmuseum und im Cifrastall, die im eklektischen Stil nach Miklós Ybl gebaut wurden, kann man die Entwicklung des Kutschenbaus, in den Ställen mit rotem Marmor-boden schöne Pferde sehen. Das Palóc-Haus ist ein Holzhaus aus dem 18. Jh.

1

4

5

6

7

MEZŐKÖVESD

A város fürdőjét a Zsóry Lajos főszolgabíró, országgyűlési képviselő földjén 1939-ben feltárt 60 °C-os, kénhidrogénben, kalciumban, magnéziumban és fluoridban gazdag termálgyógyvíz táplálja. A gyógyvíz reumás megbetegedések, ízületi gyulladások, nőgyógyászati panaszok gyógyítására, sérülések és ortopédiai műtétek utókezelésére kiváló.

A Matyóföld központjában a Matyó Múzeum (1; 4; 5) a matyók életét mutatja be. Gyönyörködhetünk itt a színes viseletekben és hímzésekben, a menyasszony hozományától roskadozó lakodalmas szekérben. A Városi Galériában Takács István festőművész munkásságával ismerkedhetünk meg. Freskói mintegy 150 templomot díszítenek, köztük a Szent István római katolikus templom (8) kápolnáját is.

A Kis Jankó Bori Emlékházban (7) a leghíresebb matyó íróasszony ötletgazdagsága, kivételes rajzkészsége kápráztat el. Elsőként kapta meg a Népművészet mestere kitüntető címet. Mellszobra (3) a Matyó Múzeum előtt látható. Háza művészete mellett a hagyományos matyó lakóház életét is megeleveníti.

A Táncpajtában a Matyó lakodalmast mutatja be a Matyó Népművészeti Egyesület. A városban megtekinthető egy gazdag mezőgazdasági gépgyűjtemény (2; 6) is.

The town's baths started operation in 1939 on land owned by the county sheriff Lajos Zsóry. The waters come up at 60 °C and are rich in hydrogen sulphide, calcium, magnesium and flouride. The waters are ideal for those suffering from rheumatism, joint problems, gynaecological problem, and injuries, and for those recovering from surgery.

The Matyó Museum showcases the life of the people of the Matyó region. Here are the beautiful embroideries and traditional costumes and the brides arriving in carts overflowing with their dowry gifts. The Town Gallery contains the work of István Takács, whose frescoes have decorated over 150 churches, including the chapel of the St. István Catholic church.

At the Kis Jankó Bori Memorial House are the wonderfully imaginative drawings of the most famous woman writer of the region. She was the first to receive the title of Folklore Master, and a statue of her can be seen in front of the Matyó Museum. Beside the artistic interest, her house is noteworthy for its illustration of the life of the local region.

In the Dance Barn the Matyó Folklore Group present a typical Matyó feast. The town also boasts a fine collection of agricultural machinery.

2

Auf dem Acker des Lajos Zsóry, Oberstuhlrichter und Abgeordneter, wurde 1939 die 60 °C heiße Quelle mit Schwefelhydrogen, Kalzium, Magnesium, und fluoridhaltigen Heilwasser entdeckt, das heute das Stadtbad speist. Es eignet sich zur Behandlung von rheumatischen Erkrankungen, Gelenksentzündungen, Frauenleiden und zur Nachbehandlung von Verletz-ungen und orthopädischen Operationen.

Die farbenprächtigen Trachten und Stickereien sind eine Besonderheit der Matyógegend und diese werden, neben der Hochzeitskarre mit der gesamten Aussteuer der Braut, im Matyómuseum gezeigt. In der Stadtgalerie sind Werke des Kunstmalers István Takács ausgestellt. Seine Fresken schmücken ca. 150 Kirchen, darunter auch die Kapelle der rk. St. Stephanskirche.

Das Bori Jankó Kis Gedächtnishaus zeigt die Ideenvielfalt und Zeichenkunst der bekanntesten Matyófrau. Sie hat als erste den Titel „ Meister der Volkskunst" bekommen. Ihre Büste steht vor dem Matyómuseum. Ihr Haus zeigt nicht nur die Kunst, sondern auch das traditionelle Leben der Matyó.

In der Tanzscheune wird die Bauernhochzeit von der Volkstanzgruppe der Matyó vorgeführt. In der Stadt ist eine reichhaltige Landwirtschafsmaschinenausstellung.

3

1

EGER

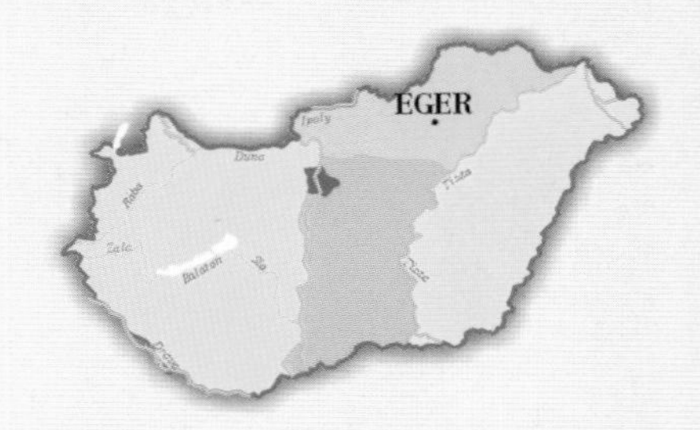

132–133

Gárdonyi Géza Egri csillagok című regénye Európa-szerte ismertté tette a 13. században épült és az 1552-ben a török ellen vívott hősies csata emlékét hirdető várat (4; 5; 6).

A területén a 11. században épült székesegyház pillérkötegén az itt eltemetett Szent Imre herceg szobra látható. A gótikus püspöki palotában a várkapitány, Dobó István dobóruszkai síremlékét, a hősök szobrát és a vártörténeti, valamint képzőművészeti kiállítást tekinthetjük meg. Gárdonyi sírja *„Csak a teste"* felirattal a várban van, közelében Gárdonyi emlékmúzeuma látható.

A Dobó tér díszei a várkapitány (8) és a végvári harcosok szobra, a legszebb magyar barokk homlokzatú minorita templom (9) és rendház, az eklektikus városháza. Az érseki székesegyház (3) klasszicista, az Esterházy Károly Tanárképző Főiskola copf stílusú. A megyeháza kovácsoltvas kapui (7) Fazola Henrik remekművei. A leghíresebb török építmény a minaret (2). Az új, modern fürdő (10) Makovecz Imre tervei szerint épült.

A Szépasszonyvölgyben a híres borok, a bikavér és az egri leányka is megkóstolható.

The castle, built in the 13th century, was made famous throughout Europe by the heroic resistance during the siege of the Turks in 1552 and by the novel which immortalised the event, *"The Stars of Eger"* by Géza Gárdonyi.

On the clustered column of the 11th century cathedral church is a statue of St. Imre who was buried here. The Gothic Bishop's Palace contains the Doboruszkai tomb of István Dobó, commander of the Eger garrison, a statue to the heroes of the siege, and exhibitions of the castle's history and artistic works. The tomb of Géza Gárdonyi with the inscription 'Only the body' is in the castle, and Gárdonyi's memorial museum is nearby.

Dobó Square contains statues to the garrison and its commander, the Minorite Church and monastic building, with the finest Baroque facade in Hungary, and the City Hall, in eclectic style. The cathedral church of the Archbishopric is in Classical style and the Károly Esterházy Teacher Training College is in Copf style. The fine wrought iron gates of the County Hall are the work of Henrik Fazola. The most famous building from the Turkish period is the minaret, and the new baths were designed by Imre Makovecz.

The famous wines of the Eger region – Egri Bikavér (Bulls' Blood), and Egri Leányka, can be tasted in the Szépasszony Valley.

Der Roman des Géza Gárdonyi, *„Die Sterne von Eger"* hat die im 13. Jh. gebaute Burg europaweit bekannt gemacht und erinnert an den heldenhaften Kampf 1552 gegen die Türken.

In der Kathedrale aus dem 11. Jh. kann man an einem Pfeilerbündel die Statue des Hl.Imre sehen, der hier bestattet ist. Im gotischen Bischofspalast ist das Grab des Burghauptmanns István Dobó aus Doboruszk, die Statuen der Helden, sowie die burggeschichtliche und kunsthistorische Ausstellung. Das Grab von Gárdonyi ist in der Burg mit der Aufschrift „Nur sein Körper", in der Nähe des Gárdonyi-Museum.

Die Zierde des Dobó-Platzes sind die Statuen des Burghauptmannes und seiner Mitstreiter, die schönste ungarische Minorit-Kirche und das Ordenshaus mit dem Barockgiebel, sowie das Eklektische Rathaus. Die erzbischöfliche Kathedrale ist klassizistisch und das Lehrerkollegium Károly Esterházy im Zopfstil gebaut. Das Eisentor des Komitatshauses ist ein Meisterwerk des Henrik Fazola. Das berühmteste türkische Gebäude ist das Minarett. Das neue, moderne Bad wurde nach Plänen von Imre Makovecz gebaut.

Im Tal der schönen Frauen sind die bekannten Weine „Bikavér" und „Egri leányka" zu kosten.

2

1

3

DOBO ISTVAN
8

4

7

5

9

6

10

SZILVÁSVÁRAD

A Bükk nyugati részének legjelentősebb idegenforgalmi központja. A lipicai ménes az egyik jelentős vonzereje, amelyet Lotharingiai Károly főherceg alapított 1580-ban a Trieszt közeli, ma szlovén Lipica falu mellett. Hazánkban 1806 óta tenyésztik a lipicai lovakat, először Mezőhegyesen, majd az erdélyi Fogarason, később Bábolnán, 1950 óta pedig a Bükkben. A Lipicai lótenyésztés történeti kiállítás ismerteti ezt, s a bognár- és kovácsműhely életét.

Az Erdődy–Pallavicini-kastélyt (1) Ybl Miklós tervezte 1860 körül a 18. századi kastélyrészletek felhasználásával. Ma kastélyszálloda. A református körtemplom (2) a 19. század első felében épült klasszicista stílusban Hild József vagy Povolny Ferenc tervei alapján.

A Szalajka-völgy (4) bejáratánál fedett lovarda és 14 ezer főt kiszolgáló lovaspálya is épült, ahol lovasbemutatókat rendeznek. Itt rendezték meg a fogathajtó világbajnokságot is. A Szalajka-völgyi kirándulás során látjuk a Vadasparkot, az Erdészeti Múzeumot, a Pisztrángtelepet, a Fátyol-vízesést (5), a Szalajka-forrást (6) és az istállóskői ősemberbarlangot.

Szilvásvárad is the most important tourist centre in the western region of the Bükk Hills. One of its principal attractions is the Lipica Stud Farm, which was established by the Archduke Charles of Lorraine in 1580 near Trieste, next to the present-day village of Lipica in Slovenia. Lipica horses have been bred in Hungary since 1806 - first in Mezőhegyes, later in Fogaras in Transylvania, later still in Bábolna, and since 1950 in the Bükk. There is an exhibition featuring the historical development of the Lipica horse, as well as life at the wheelwright's and blacksmith's workshops.

The Erdődy-Pallavicini mansion was designed by Miklós Ybl around 1860, using parts of the 18th century mansion. Today it is a castle hotel. The Protestant round church was built in the first half of the 19th century in Classical style on plans drawn up by József Hild or Povolny Ferenc.

At the entrance to the Szalajka Valley a stables and race course and stadium was built to accommodate 14 000 spectators, and here there are frequent horse shows; the world carriage driving championships were also held here. Following the course of the Szalajka valley the visitor can see the Game Park, the Forestry Museum, the Trout Farm, the 'Veil' Waterfall, the source of the Szalajka, and the Istállóskő Cave inhabited by prehistoric humans.

Der Ort im Westen des Bükk-Gebirges ist ein Zentrum des Tourismus. Die Lipizzanerherde ist eine besondere Attraktion. Sie stammt aus der um 1580 von dem Lothringer Großherzog Karl, in dem heute slowenischen Dorf Lipizza, in der Nähe von Triest, gegründeten Pferdezucht. In Ungarn werden die Lipizzaner seit 1806 gezüchtet, zuerst in Mezőhegyes, dann im siebenbürgischen Fogaras, später in Bábolna und seit 1950 hier im Bükk-Naturpark. Die Geschichte der Lipizzaner Pferdezucht und das Leben in der Wagnerei und Schmiede werden in einer Ausstellung gezeigt.

Das Erdődy-Pallavicini-Schloß wurde unter Berücksichtigung des alten Gebäudes, von Miklós Ybl um 1860 geplant. Heute ist darin das Schlosshotel. Die reformierte Rundkirche wurde in der ersten Hälfte des 19. Jh. im klassizistischen Stil gebaut, nach Plänen des József Hild oder Ferenc Povolny.

Am Eingang des Szalajka-Tals sind eine überdachte Reitschule und der Turnierplatz auf dem Pferdedressuren vor 14 000 Zuschauer gezeigt werden. Hier wurde die Gespann-(Kutschen) Weltmeisterschaft veranstaltet. Bei einem Ausflug mit der Museumseisenbahn ins Szalajka-Tal sieht man den Wildpark, das forstwirtschaftliche Museum, die Forellen-teiche, den Schleierwasserfall, die Szalajka-Quelle und die Urmenschen Höhle Istállóskő.

2

3

1

4

5
6

MISKOLC

A 256 m magas Avas 71 m magas kilátótornya (3) és borpincéi figyelemre méltóak.
A gótikus avasi református csarnoktemplom (1) a 15. században épült. A négyzet alapú, fagalériás, fasisakos harangtorony 16. századi, egy tűzvész után a 17. század végén épült újjá.
A védett temetőben nyugszanak Tompa Mihály költő szülei, Szemere Bertalan miniszterelnök és a Latabár család tagjai. A Városház téren a Város- és Megyeháza, Melocco Miklós egyéni megfogalmazású Széchenyi-szobra áll.
Az ortodox templomot Miskolcra települt görög és macedón kereskedők építették a 18. század végén. 16 m magas ikonosztáza egy egri faszobrász remekműve. A Kazáni Fekete Mária-ikont II. Katalin orosz cárnő adományozta.
Miskolctapolca hévizes barlangfürdője (2) páratlan Európában, gyógyvize gyomor- és bélpanaszok, vérnyomás-ingadozás gyógyítására kiváló. Diósgyőr vára (5) 13. századi, a királyszék birtoka volt. Lillafüreden a Palotaszálló (4) eklektikus stílusban a 20. század első harmadában épült, a mésztufa Anna-barlang és a Szent István-cseppkőbarlang igen látogatott.

The 71 metre lookout tower and wine cellars of the 236 metre Avas hill are interesting features of the city. The Gothic 'Avas' Protestant church was built in the 15th century. The square bell tower with its wooden gallery and wooden roof was built in the 16th century, and burnt down and rebuilt in the 17th.
In the cemetery, a protected area, are the graves of the parents of the poet Mihály Tompa, prime minister Bertalan Szemere, and members of the Latabár family. In the City Hall Square are the City and County Halls and Miklós Melocco's unique statue of Széchenyi.
The Orthodox church was built by the Greek and Macedonian traders who settled here at the end of the 18th century. The 16 metre high iconostasis is the work of a master from Eger. The icon of the Black Madonna of Kazan is the gift of Catherine II, Tsaress of Russia.
Miskolctapolca's thermal and medicinal water cave is unique in Europe and is ideal for those suffering from stomach and intestinal problems and fluctuating blood pressure. The 13th century castle of Diosgyőr was an important royal centre. In Lillafüred the Palace Hotel was built in eclectic style in the first third of the 20th century, and the nearby tuffaceous limestone Anna Cave and the St. István drop cave can both be visited.

Bekannt ist der 256 m hohe Avas-Berg mit seinen Weinkellern und dem 71 m hohen Aussichtsturm.
Die gotische, reformierte Hallenkirche stammt aus dem 15. Jh. Der Glockenturm mit Holzbalkon und hölzernen Dach aus dem 16. Jh. wurde nach einem Brand im 17. Jh. wiederaufgebaut.
Im geschützten Friedhof ruhen die Eltern des Dichters Mihály Tompa, der Ministerpräsident Bertalan Szemere und die Familie Latabár. Auf dem Rathausplatz, vor dem Rathaus und Komitatsgebäude steht die Széchenyi-Statue des Bildhauers Miklós Melocco.
Die orthodoxe Kirche haben griechische und mazedonische Kaufleute Ende des 18. Jh. gebaut. Ihre 16m hohe Ikonostase ist das Meisterwerk eines Holzschnitzers aus Eger. Die Ikone „Kazáni Fekete Mária" wurde von der russischen Zarin Katarina II. gestiftet.
Das Heilwasser des in Europa einmaligen Höhlenbades in Miskolctapolca eignet sich hervorragend zur Behandlung von Magen und Darmproblemen, sowie bei Blutdruck-schwankungen. Die Burg von Diósgyőr aus dem 13. Jh. war Königssitz. In Lillafüred wurde das Palasthotel im eklektischen Stil des 20. Jh. gebaut. Die Anna-Kalktuffhöhle und die St. Stephan–Tropfsteinhöhle sind Touristenattraktionen.

2

1

3

NAGY LAJOS KIRÁLY
1342 - 1382

ÁGGTELEK-JÓSVAFŐ

138–139

A Baradla-barlang közelében a Barlangmúzeum megismertet a barlang felfedezésével és feltárásával. Európa legnagyobb cseppkőbarlangrendszerének legjelentősebbje, a Baradla-barlang a szlovák domiciai ággal együtt 25 km hosszú, és a Világörökség része. A 17 km-es legnagyobb magyar barlang aktív karsztbarlang, csodálatos cseppkőképződményekkel. Sziklacsarnokai, hatalmas oszlopai egy különleges mesevilágot tárnak a látogatók elé. A cseppkőképződményeknek alakjuknak megfelelően fantázianeveket adtak, van Anyósnyelv, Fácán, Matyórojt, Megfagyott vízesés, Elefántláb, Húsbolt, Sas, Teknősbéka, Télapó, Tigris, Tóparti kastély, Leborult orgona. A Hangversenyteremben koncerteket rendeznek, a jósvafői bejáratnál látható a 125 m hosszú, 55 m széles, 30 m magas Óriások terme. A Béke-barlangban a szanatóriumban asztmás betegeket gyógyítanak.

Nearby the Baradla Cave, the Cave Museum illustrates the story of the discovery and excavation of the cave. Together with its Slovak branch at Domicia, the Baradla Cave forms Europe's most important drop cave system, extending for 25 kilometres, and is a World Heritage Site. The 17 kilometre Baradla Cave is Hungary's longest and an active karst cave, with spectacular stalactites and stalagmites. The rock halls and huge columns present a fairytale spectacle for the visitor. The drop stones have their own appropriate fantasy names, such as Mother's Tongue, Pheasant, Matyó Fringe, Frozen Waterfall, Elephantfoot, Butcher's Shop, Eagle, Tortoise, Father Christmas, Tiger, Lakeside Castle, and Tumbledown Organ. Concerts are held in the Concert Hall, the Giants' Hall near the Jósvafő entrance, 125 metres long, 55 wide and 30 high. Asthma sufferers are treated in the sanatorium in the Peace Cave.

Das Höhlenmuseum der Baradla-Höhle zeigt deren Entdeckung und Ausbau. Das größte Tropfsteinhöhlensystem Europas, die Baradla-Höhle ist mit dem slowakischen Teil 25 km lang und zum Weltkulturerbe ernannt. Die 17 km lange, größte, aktive ungarische Karsthöhle birgt wunderschöne Tropfsteingebilde. Die riesigen Felsenhallen und die Säulen zeigen den Besuchern eine besondere Märchenwelt. Die Tropfsteine haben ihrer Form entsprechende Phantasienamen: Schwiegermutterzunge, Fasan, Matyófransen, gefrorener Wasserfall, Elefantenfuß, Metzgerei, Adler, Schildkröte, Nikolaus, Tiger, Schloß, hängender Flieder. Im Konzertsaal genannten Höhlendom werden Orgelkonzerte veranstaltet. Beim Eingang in Jósvafő sieht man den Riesensaal, der 125 m lang, 55 m breit und 30 m hoch ist. In der Friedenhöhle und im Sanatorium werden Asthmakranke geheilt.

BARADLA-BARLANG

HOLLÓHÁZA

140–141

A kis hegyi falu porcelángyáráról ismert külföldön is. A Porcelánmúzeum (2) épülete 1981-ben készült el. A múzeum anyaga a Felvidék és a Hegyköz ösztönös forma- és díszítőerejének emlékén át tárja elénk az egyszerű ember életét, a kispolgári ízlés étkezési kultúráját. Legújabb alkotásaival az egyetemes és a magyar porcelánművészet fejlődéséről ad képet.

A gyár elődje, az 1777-ben alapított üveghuta 1831-ben kőedény-manufaktúrává alakult át. Kezdetben asztalkészleteket, korsókat, kulacsokat gyártott, amelyek a telkibányai kőedényekhez hasonlítottak, tükrözik a korabeli magyar népi fazekasság kultúrájának vonásait is. A 19. században a Zsolnay-gyár hatása érvényesült a magyaros és törökös minták továbbfejlesztésében. 1949-ig csak kőedényeket készítettek a gyárban, majd 1956-ig tértek át a művészi porcelánok előállítására. 1977-től Szász Endre tervezett a gyárnak. A jellegzetes motívumaival díszített vázák, falitálak igen népszerűek a mai napig. Victor Vasarely faliképeit a győri színház díszítésére szintén itt alkották.

Az 1968-ban felszentelt modern római katolikus templom (1) díszei Kovács Margit kerámia stációképei és Somogyi József szobrász feszületkorpusza.

This small village in the hills is famous for its porcelain factory even outside Hungary. The Porcelain Museum building was constructed in 1981, and the exhibits in the museum show the instinctive designs and decorative motifs of the people of the Upland regions, as well as the lifestyles of ordinary people and the decorative tastes of the provinces and small towns. The latest additions show the development of general and Hungarian porcelain and ceramic arts.

The factory's predecessor was the glass works founded in 1777, which converted to the production of earthenware dishes in 1831. Initially the works produced table services, drinking vessels, and flasks, similar to the earthenware produced at nearby Telkibánya, reflecting the contemporary pottery crafts of Hungary. The influence of the Zsolnay factory in the 19th century led to the further development of Hungarian and Turkish style products. Until 1949, only earthenware was produced at the factory, but the factory branched out into artistic porcelainware until 1956. From 1977 Endre Szász designed for the factory. His vases and wall plates with their characteristic designs are still popular today. The wall pictures with which Victor Vasarely decorated the theatre at Győr were also produced here.

The modern Catholic church, consecrated in 1968, is decorated with a ceramic Stations of the Cross designed by Margit Kovács, and the Body on the Cross by the sculptor József Somogyi.

Das kleine Bergdorf ist auch im Ausland durch seine Porzellanmanufaktur bekannt. Das Gebäude des Porzellanmuseums wurde 1991 fertig. Es zeigt die oberungarischen und Hegyközer elementaren Formen und Verzierungen und damit das Leben der einfachen Leute und die Tischkultur der Kleinbürger. Mit seinen neuesten Werken zeigt es die Entwicklung, universaler und ungarischer Porzellankunst.

Der Vorläufer der Porzellanmanufaktur war die Glashütte aus 1777, die 1831 zur Steingeschirrmanufaktur umgebaut wurde. Anfangs haben sie Hirtenflaschen, Krüge und Essgeschirr hergestellt, das Ähnlichkeit mit dem Steingut von Telkibánya hatte und das die damalige, ungarische Volkstöpferkultur zeigte. Im 19.Jh. hat sich bei der Weiterentwicklung der ungarischen und türkischen Muster der Einfluß von Zsolnay bemerkbar gemacht. Bis 1949 wurde nur Steinzeug hergestellt. Erst 1956 wurde die Produktion auf künstlerisches Porzellan umgestellt. Seit 1977 stammt das Design von Endre Szász. Die mit seinen typischen Motiven geschmückten Vasen und Wandteller sind sehr beliebt. Die Wandbilder des Victor Vasarely für das Theater zu Győr wurden hier angefertigt.

Die 1968 eingeweihte moderne rk. Kirche ist mit Keramik-Stationsbildern der Margit Kovács und mit dem Kreuz des Bildhauers József Somogyi geschmückt.

1

1777
HOLLÓHÁZA
HUNGARY

2

BNV
A BNV NAGYDÍJÁVAL kitüntetett termék

VIZSOLY

142–143

A 11. századi alapítású, mintegy ezer lakosú falu kőfallal körülvett temploma (5) 13. századi alapokon épült a 14. században, román és kora gótikus stílusban. Akkor toldották meg a 13. századi félköríves szentélyű templomot egy újabb hajóval és toronnyal. Falain félköríves és csúcsíves ablakok nyílnak. Zömök tornyát lőrések és gótikus mérműves ablakok tagolják. A templom belsejében értékes 13–15. századi freskók láthatók. A 13. században az apszist Krisztus születése és a háromkirályok jelenete díszíti. A régebbi hajó boltsüvegeibe szentek képeit, 1400 körül az oldalfalakra Krisztus szenvedését festették. A sík mennyezetű hajónak a 15. század első feléből származó freskóin (2; 3; 4) a Szent László-legenda, a kálváriajelenet, az angyali üdvözlet, Mária és Erzsébet találkozása, valamint Krisztus születése látható. A diadalív északi oldalát Szent Kristóf, a délit két lovagszent képe díszíti, alattuk Szent Györgyöt látjuk a sárkánnyal. A templomban az 1590-ben Vizsolyban nyomtatott, első teljes magyar fordítású Biblia (1) eredeti példánya tekinthető meg.

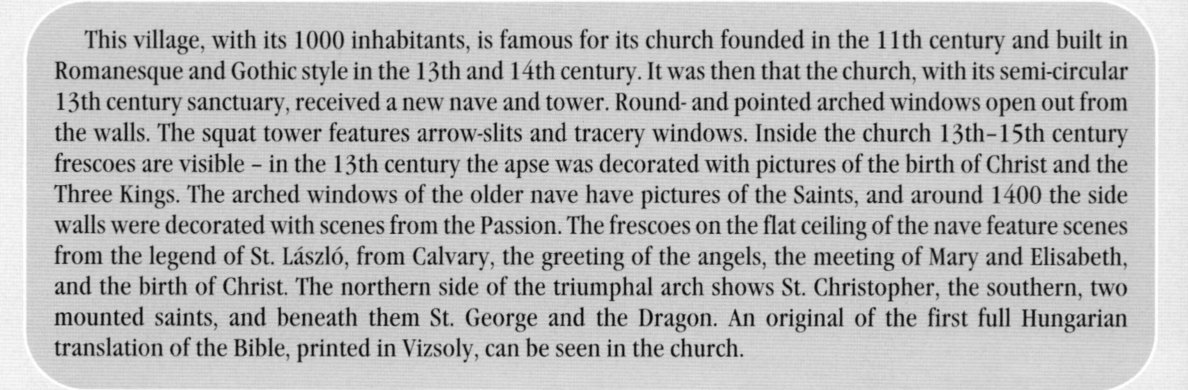

This village, with its 1000 inhabitants, is famous for its church founded in the 11th century and built in Romanesque and Gothic style in the 13th and 14th century. It was then that the church, with its semi-circular 13th century sanctuary, received a new nave and tower. Round- and pointed arched windows open out from the walls. The squat tower features arrow-slits and tracery windows. Inside the church 13th–15th century frescoes are visible – in the 13th century the apse was decorated with pictures of the birth of Christ and the Three Kings. The arched windows of the older nave have pictures of the Saints, and around 1400 the side walls were decorated with scenes from the Passion. The frescoes on the flat ceiling of the nave feature scenes from the legend of St. László, from Calvary, the greeting of the angels, the meeting of Mary and Elisabeth, and the birth of Christ. The northern side of the triumphal arch shows St. Christopher, the southern, two mounted saints, and beneath them St. George and the Dragon. An original of the first full Hungarian translation of the Bible, printed in Vizsoly, can be seen in the church.

Das im 11. Jh. gegründete Dorf mit 1000 Einwohnern hat eine mit einer Steinmauer umsäumte Kirche. Auf den Grundmauern aus dem 13. Jh. wurde im 14. Jh. eine romanisch-frühgotische Kirche aufgebaut. Dabei wurde zu der Apsis ein Turm und Kirchenschiff angebaut. In den Wänden sind rundbogen- und spitze Fenster. Der Stämmige Turm hat Schießscharten und gotische Fenster. Im Kircheninnern sind wertvolle Fresken aus dem 13–15. Jh. Im 13. Jh. wurde die Apsis mit dem Bild „Geburt Christi mit den drei Königen" bemalt. Im älteren Kirchenschiff, malten sie die Bilder von Heiligen in die Gewölbekappen und um 1400 malten sie an die Seitenwände „Das Leiden Christi". In dem Flachdachschiff sind die Fresken aus dem 15. Jh. mit den Legenden des Hl. László, die Kalvarienbergszene, der Engelsgruß, das Treffen von Maria mit Elisabeth und Christi Geburt zu sehen. Die nördliche Seite des Triumphbogens ziert der Hl.Christopherus, die südliche ist mit zwei Rit-terbildern geschmückt und darunter ist der Hl. Georg mit dem Drachen. In der Kirche ist die erste, ins ungarische übersetzte, original Bibel zu sehen, die 1590 in Vizsoly gedruckt wurde.

SÁTORALJAÚJHELY

A volt megyeháza a 18. század második felében épült barokk stílusban. 1823-ban bővítették. Pályája kezdetén Zemplén megye fiskálisaként Kossuth Lajos az épület erkélyéről mondta el első szónoklatát 1831-ben a koleralázadás idején. 1950 óta városháza. Az emeleten lévő levéltárát (7) mai formájában Kazinczy Ferenc rendezte főlevéltárnokként a 19. század első harmadában.

Vele szemben áll 1911 óta Kossuth szobra. A római katolikus templom (1) a 18. század végén épült barokk stílusban. Jelenlegi formáját a 20. század eleji bővítésekor kapta. A Kazinczy Ferenc Múzeum (2; 3; 6), az egykori Zempléni Casino Társaság otthonának épült 1827-ben klasszicista stílusban. Széchenyi, Kossuth és Petőfi is megfordult benne. A múzeum a város történetét, Zemplén régészetét és természetrajzát mutatja be. Nagyboldogasszony (piarista) plébániatemploma a 13. századi pálos kolostor része, kápolnáját I. Rákóczi Ferenc építtette a 17. században.

A városhoz tartozik Széphalom, a 18–19. századfordulójának magyar irodalmi központja. Az irodalomszervező, nyelvújító Kazinczy Ferenc Emlékcsarnoka (4; 5) Ybl Miklós tervei alapján épült 1873-ban, neoklasszicista stílusban.

2

The former County Hall was built in Baroque style in the second half of the 18th century. When he was at the beginning of his career working as a lawyer for Zemplen County, Lajos Kossuth made his first speech from the balcony here during the cholera epidemic of 1831. Since 1950 the building has been the Town Hall. The archive on the first floor took its present form when Ferenc Kazinczy worked here as chief archivist during the first third of the 19th century.

Opposite the building Kossuth's statue has stood since 1911. The Catholic church was built at the end of the 18th century in Baroque style, and its present form dates from the beginnings of the 20th century when it was enlarged. The Ferenc Kazinczy Museum is housed in the former Zemplén Casino Society building, which was built in Classical style in 1827. Széchenyi, Kossuth and Petőfi were all guests here. The museum shows the history of the town, and the archaeological and natural treasures of the Zemplén region. The (Piarist) Church of the Virgin parish church includes part of the 13th century Pauline Monastery, and the chapel was built in the 17th century by Ferenc Rákóczi.

The town also includes the village of Széphalom, the centre of Hungarian literature at the turn of the 18th and 19th centuries. The memorial room of the literary figure, and reinvigorator of the Hungarian language, Ferenc Kazinczy was designed by Miklós Ybl in Neo-classical style and completed in 1873.

3

Das ehemalige Komitatshaus wurde im 18.Jh. im Barockstil gebaut und 1823 erweitert. Lajos Kossuth hielt hier, während des Choleraaufstandes, am Anfang seiner Karriere als Advokat, 1831 seine erste Rede vom Balkon des Komitatshauses. Seit 1950 dient es als Rathaus. Das Archiv im ersten Stock hat der Hauptarchivar Ferenc Kazinczy in seine heutige Form geordnet.

Gegenüber steht seit 1911 die Statue von Kossuth. Die rk. Kirche wurde Ende des 18. Jh. im Barockstil gebaut. Ihre heutige Form bekam sie bei dem Ausbau im 20. Jh. Das jetzige Ferenc Kazinczy-Museum war früher das Haus der Casinogesellschaft von Zemplén, es wurde 1827 im klassizistischen Stil gebaut. Hier verkehrten auch Széchenyi, Kossuth und Pet?fi. Das Museum zeigt die Geschichte der Stadt und die Naturgeschichte und Archäologie von Zemplén. Die Maria Himmelfahrts Stadtkirche ist ein Teil des Paulanerklosters aus dem 13. Jh., dessen Kapelle von Ferenc Rákóczi I. im 17. Jh. gebaut wurde.

Zur Stadt gehört „Széphalom“, das zur Jahrhundertwende der literarische Mittelpunkt Ungarns war. Die Gedenkhalle für den Sprachreformer Ferenc Kazinczy wurde von Miklós Ybl 1873 im neoklassizistischen Stil gebaut.

1

4

KAZINCZY FERENC
5

6

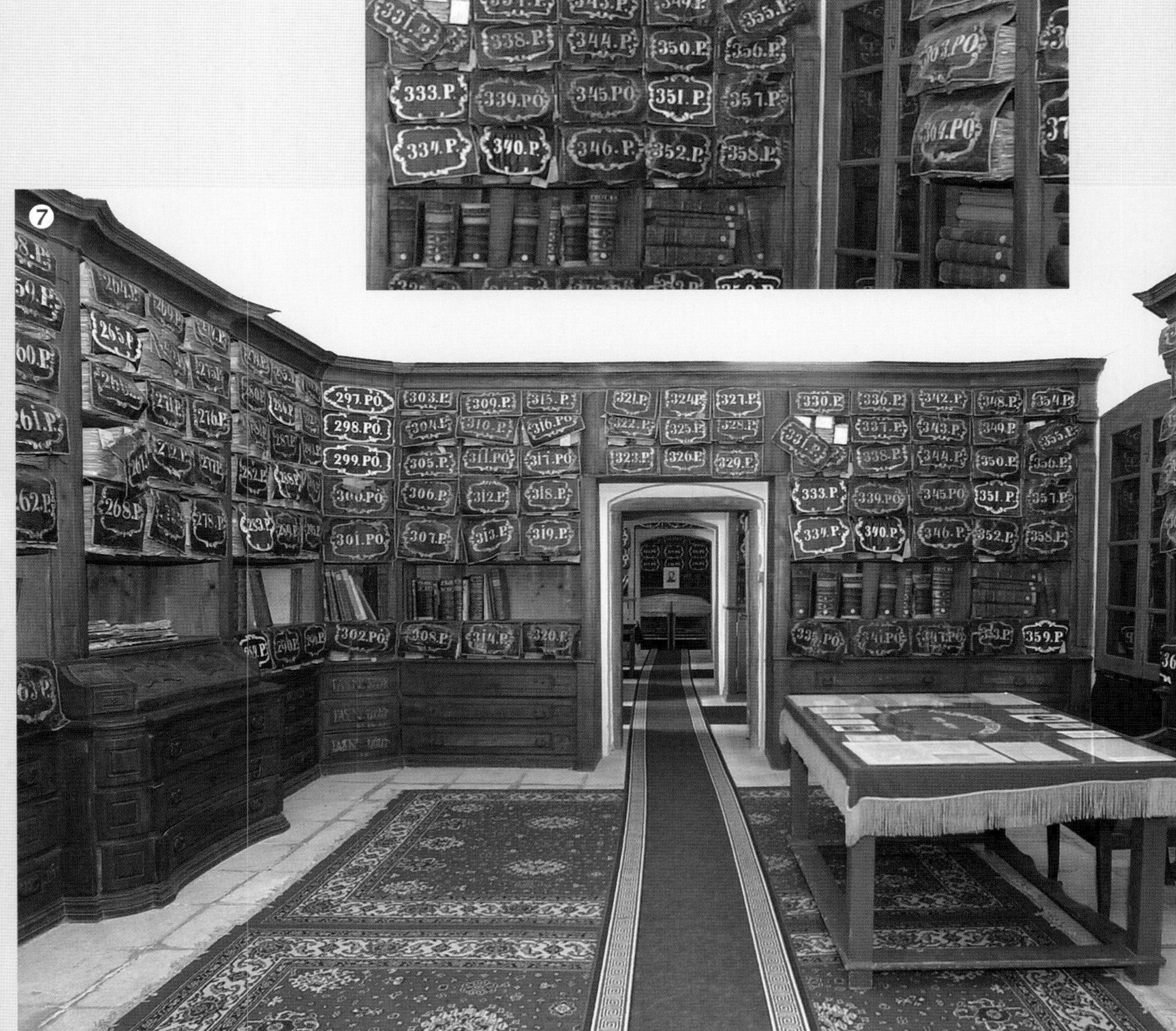
7

EMLÉKÉNEK A HÁLÁS UTÓKOR

SÁROSPATAK

A „Bodrog-parti Athénnak", „a magyar forradalmak oroszlánbarlangjának" nevezett város legértékesebb látnivalója a Rákóczi-vár (1; 2), gótikus, reneszánsz stílusban épült. Egy négyszög alaprajzú, négy saroktornyos, középkori lakótoronyból (Vörös-torony) (4), a csak maradványaiban látható olaszbástyás védőfalból és a 16–17. századi szárnyakból áll, főhomlokzatán szép, reneszánsz lépcsővel és loggiával. A vár Sub Rosa termében zajlottak le a Wesselényi Ferenc grófról elnevezett Habsburg-ellenes összeesküvés tanácskozásai 1664–71 között. Ma a Rákóczi Múzeum a vár és a Rákóczi család történetét, képző- és iparművészeti anyagot mutat be. A helyreállított Vörös-toronyban nagy élmény a termek megtekintése. A plébánia- vagy vártemplom 14–15. századi gótikus stílusú (5); Maulbertsch falfestményeivel, híres barokk orgonájával és hazánk legnagyobb méretű fából készült oltárával, valamint Varga Imre mellette álló Szent Erzsébet-szoboralkotásával kiemelkedő látnivaló. Az 1531-ben alapított református kollégiumnak a 18. század végén épült udvari szárnyában a Tiszáninneni Református Egyházkerület Tudományos Gyűjteményének Múzeuma – Comenius – és egyházművészeti kiállítás található. A 19. század elején épült homlokzati szárnyban feltétlenül megtekintendő a Pollack Mihály tervei szerint kialakított 30 ezer kötetes könyvtárterem. A 6,5 hektáros Iskolakertben többek között Tompa Mihály, Kazinczy Ferenc és fia; Lorántffy Zsuzsanna, Móricz Zsigmond, Kossuth Lajos szobra áll. Értékes építészeti alkotások a Makovecz Imre tervezte művelődési központ (3) és iskola épületei is.

The town, known as the 'Athens on the banks of the Bodrog', and the 'Lion's den of the Hungarian revolution', has many sites of interest, the outstanding being the Rákóczi Castle, built in Gothic and Renaissance style. Its medieval keep (the Red Tower) has a square ground-plan and four corner towers, as well as the remains of Italian defensive bastions, and a 16th–17th century wing with a fine facade and Renaissance steps and loggia. The castle's Sub Rosa room is named after the meetings held between 1664 and 1671, during which Count Ferenc Wesselényi and others plotted to overthrow the Hapsburgs. Today the castle houses the Rákóczi Museum with its exhibitions featuring the castle's history, the history of the Rákóczi family, and arts and crafts exhibits. The rooms of the renovated Red Tower are especially interesting for the visitor. The parish- or castle church was built in Gothic style in the 14th–15th century, and contains wall paintings by Maulbertsch, a famous Baroque organ, Hungary's largest wooden altar, and next to it the statue of St. Erzsébet by Imre Varga. In the Protestant College founded in 1531, The Comenius Museum - the Academic Collection of the Tisza Region Protestant Diocese - can be visited in the wing built at the end of the 18th century. Of particular interest is the 30 000 volume library designed by Mihály Pollack in the wing built at the beginning of the 19th century. In the 6.5 hectare grounds of the school are statues of Mihály Tompa, Ferenc Kazinczy and his son, Zsuzsanna Lorántffy, Zsigmond Móricz and Lajos Kossuth. Of great architectural interest are the cultural centre and school buildings designed by Imre Makovecz.

Die Stadt wurde das „Athen des Bodrogufers" und „Löwenhöhle des ungarischen Aufstandes" genannt. Eine Sehenswürdigkeit ist die im gotischen und renaissance Stil gebaute Rákóczi Burg. Die quadratische Burg mit vier Ecktürmen, einem Flügel aus dem 16–17. Jh. mit schönem Renaissance Balkon und Treppe und einem mittelalterlichen Wohn-turm (Roter Turm) wurde von einer teilweise erhaltenen, italienischen Bastei geschützt. Im „Sub Rosa" Saal der Burg wurden die, nach dem Grafen Ferenc Wesselényi benannten geheimen Verhandlungen, der Verschwörer gegen die Habsburger, von 1664–71 geführt. In dem Rákóczi-Museum werden die Burg- und Familiengeschichte, sowie eine Sammlung der schönen Künste gezeigt. Der renovierte Rote Turm kann wieder besichtigt werden.

Die gotische Burgkirche, aus dem 14–15. Jh. mit der Wandmalerei von Maulbertsch, der Barockorgel und mit dem größten Holzaltar Ungarns mit einer Statue der Hl. Elisabeth des Imre Varga, ist eine besondere Sehenswürdigkeit. In den Gebäudeflügel aus dem 18. Jh. ist das Museum des reformierten Kollegiums von 1531 untergebracht. Eine Kirchenwissen-schaftliche Sammlung der Reformation im Theißgebiet –Comenius– ist darin aufbewahrt. Sehenswert ist die, nach Plänen des Mihály Pollack gebaute Bibliothek mit 30 000 Bänden in dem Seitenflügel aus dem 19. Jh. Im 6,5 ha großen Schulgarten stehen die Statuen von Mihály Tompa, Ferenc Kazinczy und Sohn, Zsuzsanna Lorántffy, Zsigmond Móricz und Lajos Kossuth. Besondere architektonische Bauwerke sind das von Imre Makovecz geplante Kulturhaus und die Schule.

2

3

1

4

5

TOKAJ

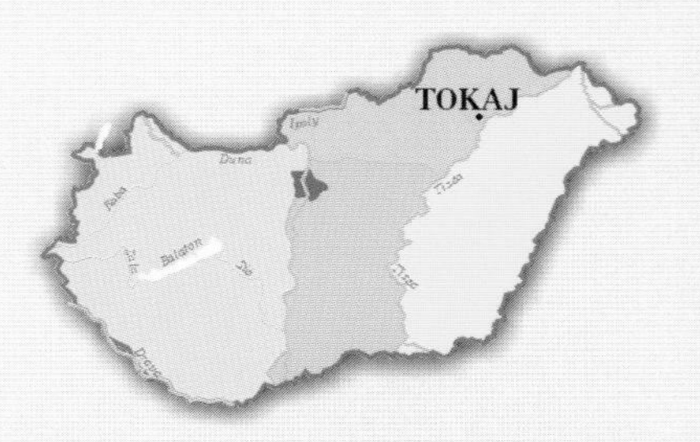

148–149

A Tisza–Bodrog összefolyásánál (1; 6) egy Hímesudvar nevű várról már Anonymus említést tett. A helyén a 14. század második felében épült kővár a török korban végvár volt. A 18. század elején lerombolták, most csak egy lőrésmaradvány hirdeti emlékét.

A borairól világhírűvé vált, 513 m magas Kopasz-hegyre (4) turistautakon is fel lehet menni. Onnan gyönyörű a kilátás a Bodrogközre, a Tiszára, az Alföldre egészen a Hortobágyig.

A városban több szép olyan építészeti alkotás látható, amelyeket a szőlőművelésre érkezett olasz, vallon telepesek és görög borkereskedők a hazájukból hozott mediterrán vonásokkal gazdagítottak. Az 1659-ben kora barokk stílusban épült Rákóczi–Dessewffy-kastély két manzárdtetős épületből áll. Ma a Hegyaljai Erdészet irodaháza. A Kossuth utcán lévő barokk eredetű, 19. század eleji klasszicista Szirmay-kastély ma általános iskola. A barokk korban mai formáját elérő Rákóczi-kastély Királyudvarként is ismert, Rákóczi György özvegye, Lorántffy Zsuzsanna építtette; ma az udvarházban működik a Borászati Múzeum.

A római katolikus templom eredetileg 14. századi gótikus stílusú volt, a 18–19. században bővítették. 1806-ban, amikor Munkácsról szállították vissza a Napóleon hadai elől oda menekített Szent Koronát, egy ideig a templom kápolnájában is őrizték. Közelében áll a Bacchus-szobor (5).

A nagy hírű Rákóczi-pince (2) központi terméből 24 járat ágazik szét. A Rákóczi-uradalmak egyik legnagyobb borpincéje volt ez valaha. A Tokaji Múzeum (3) épületét a 18. század végén emeltette a görög eredetű Karácsony kereskedőcsalád.

At the confluence of the Tisza and Bodrog rivers a castle, referred to as Himesudvar, was mentioned by Anonymous, the medieval Hungarian chronicler. The stone castle built in the second half of the 14th century was a frontier fortress at the time of the Turkish invasions. It was completely destroyed at the beginning of the 18th century and now only a few embrasures remain.

The 513 metre Kopasz or Bald Hill, which became world famous because of the region's wines, can be climbed on a footpath. From the summit there is a beautiful view to the floodplain of the River Bodrog, the River Tisza, and the plain all the way to the Hortobagy.

The town boasts many fine buildings, many of which evoke the architectural styles and Mediterranean tastes of the Italian and Walloon winegrowers and the Greek wine traders who settled here. The early Baroque Rákóczi-Dessewffy mansion was built in 1659 and has a twin mansard roof. Today it is the home of the Forestry Department of the Zemplen Foothills region. The Szirmay mansion in Kossuth Street, built at the beginning of the 19th century in Classical style on earlier Baroque foundations is now a primary school. The Rákóczi mansion, which attained its present form in the Baroque period, was a recognised royal residence, and was built by the widow of György Rákóczi, Zsuzsanna Lorántffy. It now houses the Museum of Viticulture.

The Catholic church was originally a 14th century Gothic building, which was enlarged in the 18th and 19th centuries. In 1806, when the Hungarian Royal Crown was moved back from Munkács before the advancing Napoleonic forces, it was kept in the castle chapel for a period. Nearby is the statue of Bacchus.

The central hall of the famous Rákóczi cellar branches out into 24 arms. This was once one of the largest wine cellars of the powerful Rákóczi family. The building, which now houses the Tokaj Museum, was built by the Karacsony family of Greek traders at the end of the 18th century.

Am Zusammenfluss von Bodrog und Theiß (Tisza) ist die Hímesudvar Burg, die bereits von Anonymus erwähnt wurde. An deren Stelle wurde im 14. Jh. eine Steinburg gebaut, sie war in der Türkenzeit eine Grenzburg. Im 18. Jh. wurde sie zerstört, nur ein Mauerrest mit Schießscharte erinnert noch an die alte Burg.

Den 513 m hohen Kopasz Berg, mit seinen weltberühmten Weinbergen kann man auf Touristenpfaden erklimmen. Vom Gipfel hat man einen herrlichen Überblick über die Bodrogköz und die Theißtiefebene bis zur Hortobágy Pusta.

Im Ort sind mehrere Häuser mit einem mediterranen Flair. Sie wurden von italienischen, wallonische Siedlern und griechischen Weinhändlern gebaut, die hier die Weinkultur belebten. Das 1659 im frühgotischen Stil gebaute Rákóczi-Dessewffy-Schloß besteht aus zwei Gebäuden mit Mansarden. Heute ist es das Büro des Forstamts Hegyalja. Das ursprüng-lich barocke, im 19. Jh. klassizistisch umgebaute Szirmay-Schloß ist jetzt eine Grundschule. Das Rákóczi-Schloß, das seine heutige Form in der Barockzeit erreichte, ist auch als Königs-hof bekannt. Gebaut wurde es von der Witwe des György Rákóczi, Zsuzsanna Lorántffy. Heute ist darin das Museum für Weinkunde.

Die gotische rk. Kirche aus dem 14. Jh. wurde im 18–19. Jh. erweitert. Die vor Napoleon versteckte Hl. Krone wurde bei ihrer Rückführung von Munkács im Jahre 1806, eine Zeit lang in der Kirchenkapelle aufbewahrt. In der Nähe steht die Bacchusstatue.

Aus dem Zentrum des bekannten Rákóczi Weinkellers verzweigen 24 Wein-Stollen in den Berg. Dies war der größte Weinkeller des „Rákóczi-Imperiums". Das Gebäude des Tokajer-Museum hat die griechische Weinhändlerfamilie Karácsony Ende des 18. Jh. gebaut.

SZATMÁRCSEKE

SZATMÁRCSEKE

150–151

A mai művelődési ház (1) helyén az 1930-as évekig állt az a parasztkúria, amelyben Kölcsey Ferenc lakott 23 évig, haláláig. Előtte Marton László alkotása, a 30 éve leleplezett Kölcsey-emlékmű (5) áll. Egy derékba tört márványoszlop is van az előkertben, korábban a temetőben a költő síremléke volt.
Az épületben, a Kölcsey-emlékszobában (4) a költő asztala és fotokópiákból álló Kölcsey-kiállítás tekinthető meg.
A település védett temetőjében a fejfák (2) csónakra vagy emberi arcra emlékeztetőek, ezért hívják azokat csónak alakú vagy emberarcú fejfáknak. A formák jelentése, magyarázata több variációban is ismert. Az ősidőkre visszavezethető eredetnek az mond ellent, hogy ilyen fejfákat csak a reformátusok állítanak. A temető Kölcsey Ferenc sírja miatt nemzeti zarándokhely. A síremléket (3) 1846-ban Ferenczy István szobrász készítette. A mai síremléket 1938-ban emelték.

On the site of today's Cultural Centre was the large peasant house, which stood until the 1930's, where Ferenc Kölcsey lived for 23 years until his death. In front of the building is the statue of Kölcsey, the work of László Marton, unveiled 30 years ago. A broken marble column stands in the front garden - previously it was in the cemetery and part of the poet's tomb.
In the building is the Kölcsey memorial room, which features the poet's writing desk and copies of some of his work.
The cemetery is a protected area with wooden graves known as 'Face Graves' or 'Boat Graves' according to whether the head of the grave is carved in the form of a human face or a boat. There are various explanations for these designs, although the fact that these graves were only produced after the Reformation, argues against a very ancient origin. The tomb of Kölcsey is a place of national pilgrimage. The tomb was created by the sculptor István Ferenczy in 1846, and took its present form in 1938.

An der Stelle des heutigen Kulturhauses stand bis 1930 die Bauernkurie, in der Ferenc Kölcsey 23 Jahre, bis zu seinem Tode, gelebt hat. Davor steht seit 30 Jahren ein Denkmal des Dichters Kölcsey von László Marton. Die gesprungene Marmorsäule im Vorgarten ist des Dichters ehemalige Grabstele. Im Gedenkzimmer steht sein Schreibtisch mit Fotokopien-ausstellung.
Im Denkmalgeschützten Friedhof sind die hölzernen Grabstelen in Bootsform oder mit Menschengesichtern. Es gibt mehrere Deutungen für deren Sinn. Sie könnten aus der Urzeit stammen, aber dagegen spricht, dass nur die Reformierten solche Stelen benutzten. Der Friedhof ist, wegen dem Grab des Kölcsey, ein nationaler Pilgerort. Das Grabmal wurde 1846 von István Ferenczy gefertigt und das heutige Grabmal wurde 1938 aufgestellt.

1

A·B·F·R·A·
Itt nyugszik
Ferenc Józsefné
sz·Varjú Borbála
élt 74 évet
M·H·1960 év
Márc 9én
Béke
Poraira.
2

KÖLCSEY
3

4

KÖLCSEY FERENC
A HIMNUSZ MEGÍRÁSA SZÁZÖTVENEDIK ÉVFORDULÓJÁRA
·1823· ·1973·
5

MÁRIAPÓCS

A görögkatolikusok legismertebb búcsújáró helye a 18. század óta. Az egykori fatemplomba az első Mária-képet megrendelésre készítette egy vándorfestő. 1696-ban szent liturgia közben a hívek észrevették, hogy a képen Mária szeméből könnyek folynak, arcvonásai fájdalmat tükröznek. Másnap tömegesen érkeztek a hívek a templomba a csoda hírére. A bécsi udvarba is eljutott a könnyező kép híre, Eleonóra császárnő kívánságára Bécsbe vitték, ma is ott áll a Stephans-dóm egyik oltárán. Helyette egy kassai mester készített egy új Mária-képet (5), az először 1715-ben könnyezett.

1731–56 között elkészült kettős homlokzati toronnyal az új barokk templom (3), amelyet 1948-ban XII. Pius pápa bazilika rangra (4) emelt. Az új kegykép a bazilika bal oldali oltárán áll, ezüstlemez borítja, csak Mária és a kis Jézus arca látható. A barokk főoltár (2) a 18. század végén készült, az ikonosztáz a 19. század második feléből való. A kripta a püspökök temetkezési helye.

II. János Pál pápa 1991. évi látogatásakor hatalmas tömegnek celebrált szentmisét, a helyet Pápa térnek nevezték el, s emlékművel díszítették.

A bazilika mellett a 18. század közepén épült a barokk kolostor, a bazilita rend ezt most visszakapja. Az egykori görög katolikus püspök, Dudás Miklós szülőházában Bazilita Egyházi Gyűjtemény (1) látható. A kis római templom gótikus részletei, freskótöredéke igen értékes.

2

The town has been the most important place of pilgrimage for Greek Catholics since the 18th century. In the former wooden church a wandering painter created the first picture of the Virgin Mary. During a service in 1696 the believers realised that tears were flowing from Mary's eyes and that her face bore an expression of suffering. The news of the phenomenon reached the Imperial court at Vienna, and the painting was transferred to the court at the request of the Empress Eleonora, and there it remains on one of the altars in the Stephans Dom. In its place a master from Kassa (now Kosice in Slovakia) produced a new painting which began to weep in 1715.

Between 1731 and 1756 a new Baroque church with a twin-towered facade was built, and the church was raised to the rank of Basilica by Pope Pius XII in 1948. The new weeping picture stands on the altar at the left side of the basilica, and is covered in silver plate, leaving only the faces of Mary and Jesus visible. The Baroque main altar was prepared at the end of the 18th century, and the iconostasis dates from the middle of the 19th. The crypt is the place of burial for the bishops.

A huge crowd of believers celebrated Mass on the visit of Pope John Paul II in 1991, and the area was named Pope's Square, and a memorial was erected.

Next to the Basilica a Baroque monastery was built in the middle of the 18th century, and now this has been returned to the Basilite Order. In the birthplace of the former Greek Catholic bishop, Miklós Dudás, is the Basilite Church Collection, which is open to visitors. The small Catholic church has Gothic details and valuable fresco fragments.

3

Seit dem 18. Jh. ist Máriapócs der bekannteste Wallfahrtsort der griechisch orthodoxen Christen. In der ehemaligen Holzkirche wurde das erste Marienbild von einem Wandermaler, auf Bestellung gemalt. Im Jahre 1669 bemerkten die Gläubigen bei der Hl. Liturgie, dass das Marienbild weint und einen traurigen Gesichtsausdruck bekommt. In den nächsten Tagen kamen die Gläubigen scharenweise, um dieses Wunder zu sehen. Die Nachricht erreichte den Wiener Hof und daraufhin veranlasste die Kaiserin Eleonora, dass das Bild nach Wien gebracht und in einen Seitenaltar des Stephandoms aufgestellt wurde. Ein Meister aus Kassa malte danach eine Kopie des Marienbildes, das erstmals 1715 Tränen vergoss.

In den Jahren 1731-56 wurde die neue Barockkirche mit zwei Türmen gebaut, die von Papst Pius XII. 1948 zur Basilika erhoben wurde. Das neue Gnadenbild steht im linken Seitenaltar der Basilika, es ist mit einer Silberplatte bedeckt, die nur das Gesicht von Maria und das Jesuskind erkennen läßt. Der barocke Hauptaltar stammt aus dem 18. Jh., die Ikonostase aus dem Ende des 19. Jh. Die Krypta ist ein Bestattungsort der Bischöfe.

Beim Papstbesuch 1991 wurde der Papstplatz angelegt, auf dem jetzt ein Denkmal steht. Neben der Basilika wurde das Barockkloster im 18. Jh. gebaut und der Basilianer-Orden nahm es wieder in Besitz. Im Geburtshaus des ehemaligen griechisch-orthodoxen Bischofs Miklós Dudás ist die Basilianische Kirchensammlung zu sehen. In der rk. Kirche sind wert-volle gotische und Teile von Fresken erhalten.

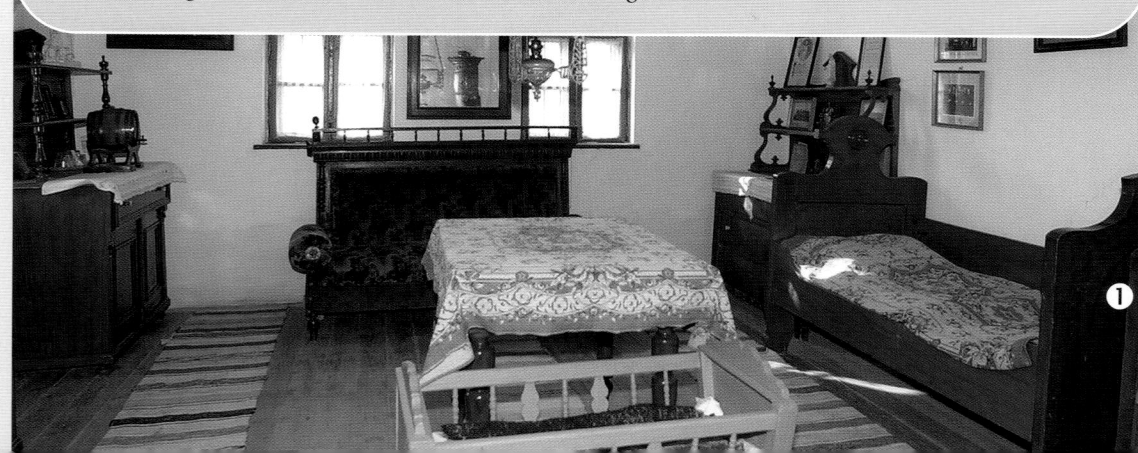
1

IC XC
NI KA

4

5

NYÍRBÁTOR

Báthory István erdélyi vajda a kenyérmezei győztes csata hadizsákmányából építtette a gyönyörű, hálóboltozatos református templomot (4) a 15. század végén. A templommal egybeépült, toronyra emlékeztető építmény inkább bástya, mint torony. A faragott gótikus kapu szászországi típus, felette a reneszánsz faragvány övezi a Báthory-címert. Belépve a templomba, a majd 20 m magasban szinte lebegni látszik a csipkefinomságúnak tűnő hálóboltozat (3). Báthory akkoriban elbocsátotta a szász kőfaragóit, s mint a király, olaszokkal kezdett dolgoztatni. A reneszánsz faragványok közül kiemelkedik a hármas ülőfülke. Itt látható az erdélyi vajda kőkoporsójának vörös márvány sírkőlapja is. A déli bejárat reneszánsz kapu. Az utolsó ecsedi Báthory István sírkőládája a legkésőbbi reneszánsz emlék a templomban. A mellette álló fa harangtorony (4) kissé bástyaszerű, szép az erkélygaléria íveinek s a fiatornyoknak a megmunkálása. Harangját 1640-ben öntötték.

A római katolikus templomot (1; 2) ugyancsak a zsákmányból építtette a vajda a ferences szerzeteseknek. A szerzetesek elűzése után sokáig használaton kívül volt. A 18. század első harmadában szentelték fel újra. Előcsarnoka a 18. század második feléből való. Berendezése barokk. Kiemelkedő része a Passió- vagy a Krucsay-oltár (5), amelyet egy eperjesi mester készített Krucsaynak, Rákóczi ezredes kapitányának a megrendelésére, engesztelésül a felesége kivégzéséért.

2

Vojvode of Transylvania, István Báthory, built the beautiful fan-vaulted Protestant church at the end of the 15th century with the booty from the victory at Kenyérmező.

The tower, built at the same time as the church, served as a defensive bastion rather than a tower. The carved Gothic entrance is of Saxon type, and the Renaissance carving above it encloses the crest of the Báthory family. Stepping inside the church the lace-like finery of the 20 metre high vaulting seems almost to float. At this time, Báthory dismissed his Saxon workers and, like the King, employed Italian craftsmen. The Renaissance carvings are particularly notable for the triple niche. The stone sarcophagus of the Vojvode of Transylvania, with its red marble cover, can also be seen here. The southern entrance also dates from the Renaissance. The stone coffin of the last István Báthory is the final Renaissance piece in the church. The wooden bell-tower next to the church has a slight bastion shape, and the arches of the balcony and the work on the smaller towers are particularly fine. The bell was cast in 1640.

The Catholic church was built for the Franciscans by the Vojvode using the same booty. After the expulsion of the Order, the church remained unused for a long time. It was re-consecrated in the first third of the 18th century, and the porch dates from the second half of the century. The internal features are Baroque. Of great interest is the Passion- or Krucsay Altar, created by a craftsman from Eperjes for Krucsay, a commander who served the Rákóczi family, in atonement for the execution of his wife.

3

Der siebenbürgische Wojwode István Báthory hat mit der Kriegsbeute aus der Schlacht bei Kenyérmező, die schöne, reformierte Kirche mit Netzgewölbe, im 15. Jh. gebaut. Statt des üblichen Kirchenturmes hat sie einen Wehrturm. Das gotische Tor wurde von Siebenbürger Sachsen geschnitzt. Oberhalb umgeben renaissance Schnitzereien das Báthory-Wappen. Beim Eintritt in die Kirche scheint das filigrane Netzgewölbe in 20m Höhe zu schweben. Báthory entließ seine sächsischen Steinmetze und hat, genauso wie der König, von Italienern arbeiten lassen. Aus den Schnitzereien der Renaissancezeit ragt die Dreiersitznische heraus. Die Grabplatte für den Sarkophag des Wojwoden Báthory ist aus rotem Marmor gefertigt. Der letzte seines Geschlechts ruht in einem Steinsarg, dem jüngsten Zeugnis aus der Renaissancezeit der Kirche. Der südliche Eingang ist ein Renaissance Tor. Daneben steht ein hölzerner Turm mit der 1640 gegossenen Glocke. Bemerkenswert sind die Verarbeitung des sich verjüngenden Turms und die Galerie am Balkon.

Die rk. Kirche, für die Franziskaner Mönche, wurde genauso aus der Kriegsbeute gebaut. Nach der Vertreibung der Mönche war sie lange geschlossen. Sie wurde im 18. Jh. wiedergeweiht. Ihre Vorhalle stammt aus der zweiten Hälfte des 18. Jh. Die Einrichtung ist Barock. Ein Meister aus Eperjes hat den „Krucsay-Altar“ geschaffen. Er war eine Sühne für den Mord an der Frau des Krucsay.

1

4

5

NYÍREGYHÁZA

156–157

A város fő turisztikai vonzereje a Sóstófürdő (2). Az itt felbuzogó, sok oldott sót tartalmazó jódos, brómos termálvíz 50 °C-os, amely az utolsó magyar tengernek, a Pannonnak 800 méteres rétegsoraiból buzog fel. A sóstói Parkfürdő héthektáros, parkosított terület verseny- és tanuszodával, gyermekmedencével, termálvizes medencékkel. A park bejáratánál székelykapu, a parkban pedig sok szobor látható, többek között Krúdy Gyula és Blaha Lujza szobra. A Tófürdő másfél hektárnyi, 20. század eleji fürdőháza is fontos látványosság. Közelében a Sóstói Múzeumfalu (4) több mint húsz éve működik, a megye sokszínű népi építkezését mutatja be, kiemelkedő a paticsfalú templom és harangtorony, gyakoriak a rendezvények. Élő falu benyomását kelti, hiszen kocsmájában lehet iszogatni, boltjában vásárolni.

Az utóbbi években a Vadaspark (1) vonz tömegeket a városba. Az ország legnagyobb területű, több mint harmincéves állatparkja ez.

A 130 éves árkádos, eklektikus városháza (5) tetején áll a város két legrégebbi szobra. A falain lévő emléktáblák a várossá válás privilégiumát, Móricz látogatásait, az első polgármester emlékét hirdetik. A Megyeháza (3) Alpár Ignác tervei szerint épült 111 éve, eklektikus stílusban, két homlokzati fülkéjében Szabolcs vezér és Szent István szobra áll.

A 100 éve felszentelt Magyarok Nagyasszonya Társszékesegyházat (7) az egri érsek építtette a lakosságnak aranymiséje emlékére, neoromán stílusban.

A város legértékesebb műemléke a barokk stílusú evangélikus templom (6) a 18. század második feléből. Harangjátéka óránként játssza el egy egyházi ének első két sorát.

The city's main tourist attraction is the Sóstó (Salt Lake) Spa. The water that bubbles up here at a temperature of 50 °C is rich in dissolved iodic and bromide salts, and comes up from the 800 metre deep layers of the last sea in Hungary, the Pannon. The Sóstó Park Spa covers seven hectares and its parks and landscaped areas have competition-, teaching- children's- and thermal pools. The entrance to the park is by a traditional Székely-style wooden gateway, and the park contains many statues, including those of Gyula Krúdy and Lujza Blaha. The one-and-a-half hectare Bathing Lake features an interesting bathing house from the beginning of the 20th century. The nearby Sóstó Village Museum has been open for the last 20 years, and in addition to hosting many events, shows the many different styles of local buildings. Of particular interest is the Patics village church and bell tower. The Museum has the flavour of a living village with open shops and an inn where visitors can stop for refreshment.

In recent years the zoo has attracted many visitors to the city. It is the country's most extensive zoo, and has been operating for 30 years.

The two oldest statues in the city stand at the top of the 130 year-old, arcaded City Hall, built in eclectic style. The plaques on the wall record the city's religious privileges, the visits of writer Zsigmond Móricz, and the city's first mayor. The 111 year-old County Hall was designed by Ignác Alpár in eclectic style and the two niches in the facade house statues of the chieftain Szabolcs, and St. István.

The Neo-romanesque style Joint Diocesan Church of Our Lady of the Hungarians was built by the Archbishop of Eger to commemorate the inhabitants' Jubilee Mass.

The finest building in the city is the Baroque style Protestant church from the second half of the 18th century. The bells play out the first two lines of a hymn every hour.

Die Hauptattraktion der Stadt ist das Salzseebad (Sóstófürdő). Das hier zu Tage tretende Salzwasser kommt aus den 800m tiefen Sedimenten des letzten ungarischen See, des Pannon Es ist 50 °C heiß und enthält Natriumkarbonat, Jod und Brom. Das Bad bietet auf 7ha Parkfläche Wettkampf-, Kinder- Lern- und Thermalbecken. Der Parkeingang ist ein siebenbürger Tor und im Park sind viele Statuen aufgestellt, darunter auch die vom Schriftsteller Gyula Krúdy und von der Schauspielerin Lujza Blaha. Das Badehaus des 1,5 ha großen Badesee, aus dem 20. Jh. ist eine Sehenswürdigkeit. In dessen Nähe ist das Sóstói Museumsdorf, in dem seit 20 Jahren die vielfältige Architektur im Komitat, darunter eine Dorfkirche mit Wänden aus geflochtenen Reben, die mit Lehm ausgefüllt sind, gezeigt und Veranstaltungen durchgeführt werden. Es ist wie ein echtes Dorf, denn im Wirtshaus kann man trinken und im Krämerladen einkaufen.

In den letzten Jahren besuchen viele Menschen den Wildpark. Er besteht seit 30 Jahren und ist der größte in Ungarn.

Auf dem 130 Jahre alten, eklektischen Rathaus mit Arkaden, stehen die ältesten Statuen der Stadt. Die Wandtafeln beschreiben das Stadtrecht, die Besuche des Schriftstellers Móricz und die Erinnerung an den ersten Bürgermeister. Das Komitathaus wurde vor 111 Jahren im eklektischen Stil nach Plänen von Ignác Alpár gebaut. In den zwei Giebelnischen stehen die Statuen des Anführers Szabolcs und vom Hl.Stephan.

Die vor 100 Jahren eingeweihte, neoromanische Kathedrale der Schutzheiligen von Ungarn, hat der Erzbischof von Eger, zur Erinnerung an seine goldene Messe bauen lassen.

Das wertvollste Denkmal der Stadt ist die barocke, evangelische Kirche aus dem 18. Jh. Deren Glockenspiel erklingt stündlich mit den ersten zwei Zeilen eines Kirchenliedes.

4

5

6

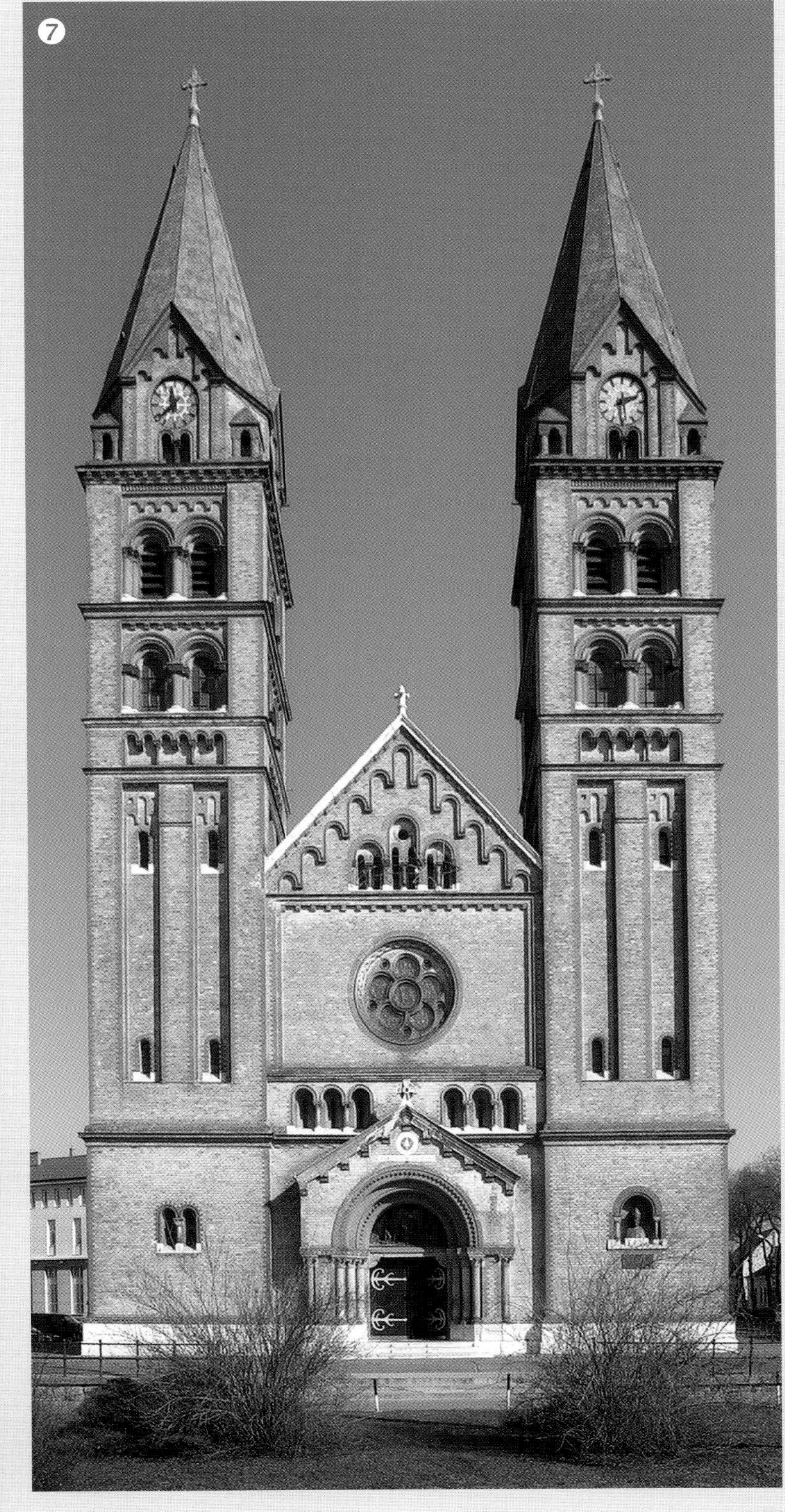
7

MEGYEHÁZA

TISZADOB

Ezen a településen kezdődtek a Tisza szabályozásának a munkálatai 1846. augusztus 27-én. Az 1845 októberében megalakult Alsó-szabolcsi Tiszai Árvízmentesítő Társulat ünnepségén Széchenyi István emelte ki az első kapavágás földet, s ezzel indította el az ősi vízivilág életében a legnagyobb beavatkozások sorát. 1865 óta hirdeti a Tisza-szabályozási emlékműcsoport, a csonkagúla alakú obeliszk (4) ezt az eseményt. 1909-ben egy másik emlékművet, három pilonon fekvő, vörösréz földgolyót (1) emeltek id. Andrássy Gyula miniszterelnöknek a Tisza szabályozásával kapcsolatos érdemeiért. 1969-ben Vásárhelyi Pálnak, a reformkor kiváló vízmérnökének állítottak emlékművet (2). A nagy formátumú szakember alakja mögötti reliefen a nehéz kubikosmunkát is megörökítették. A volt Andrássy-kastélyt (3) Andrássy Gyula külügyminiszter építtette az 1880-as években Meining Artúr tervei szerint, eklektikus stílusban. Az építéskor a francia kastélyok mintája lebegett a szeme előtt. Az épület mögött csodálatos angolkertet létesített, amelyben országosan is egyedülálló a buxuslabirintus. A kastély könyvtártermét Péli Tamás húsz éve festett roma témájú pannója díszíti.

In this settlement on 27th August 1846, work on the River Tisza drainage project began. It was István Széchenyi who cut the first turf, at a celebration organised by the Lower Tisza Flood Prevention Company, founded in October 1845, and so inaugrated the greatest intervention in the ecological life of the ancient water system. The first of the memorials celebrating the drainage project was the truncated obelisk erected in 1865. In 1909 a red copper globe on three pillars was set up to honour the connection of Prime Minister Gyula Andrássy with the project. A memorial was also erected in 1969 to Pál Vásárhelyi, the outstanding hydraulic engineer of the early 19th century. The memory of the labourers who worked on the project is preserved on the relief behind the large statue of the engineer. The former Andrássy Castle was built in eclectic style in the 1880s by the Foreign Minister Gyula Andrássy, following plans drawn up by Artúr Meining. During the construction the model of the typical French Chateaux was uppermost in the minds of the builders. There was once a wonderful English garden behind the castle, with Hungary's only box hedge maze. The castle library is decorated with panel paintings featuring Roman scenes painted over 20 years by Tamás Péli.

In diesem Ort begannen am 27. August 1846 die Arbeiten zur Flussbegradigung der Tisza. Im Oktober 1845 wurde die Gesellschaft für Hochwasserschutz und Flussausbau gegründet und bei der Gründungsfeier hat Széchenyi den ersten Spatenstich gemacht und damit die größten Eingriffe in die natürliche Flusslandschaft eingeleitet. Der Pyramidenförmige Obelisk erinnert seit 1865 an dieses Ereignis. Ein 1909 aufgestelltes Denkmal lobt den Ministerpräsidenten Gyula Andrássy für seine Verdienste um die Flussbegradigung. Es zeigt eine, auf drei Pylonen ruhende Erdkugel aus Kupfer. Für den Wasserbauingenieur der Reformzeit Pál Vásárhelyi wurde 1969 ein Denkmal aufgestellt. Auf einem Relief im Hintergrund wurden die schweren Erdarbeiten der Bauzeit verewigt. Das ehemalige Andrássy Schloß, wurde von dem Außenminister Gyula Andrássy nach Plänen von Artúr Meining im eklektischen Stil 1880 gebaut. Für die Planung nahm er die französischen Schlösser als Vorbild. Hinter dem Schloß ist ein englischer Garten mit dem einmaligen Buchsbaumlabyrinth. Die Bibliothek des Schlosses wird mit einem Tafelbild des Tamás Péli aus neuerer Zeit verschönert, das die Zigeunerromantik zeigt.

2

1

HAJDÚNÁNÁS

160–161

A több mint hét évszázados múlttal rendelkező református templomot (4) többször átépítették. Copf stílusú tornya, s különösen fakazettás mennyezete élményt nyújt. A templom előtt áll a rekonstruált erődfalrészlet (6) egy sarokbástyával, téglái ma a II. világháború közel hatszáz áldozatának emlékét őrzik.

A főtér másik meghatározó épülete a Városháza (5), a 19–20. század fordulóján emelték romantikus stílusban. A parkban 1904-ben leplezték le a város első díszpolgárának, Kossuth Lajosnak a szobrát, Horvai János alkotását.

A 18. század végi klasszikus stílusú „Tájház" egy hiteles középparaszti házbelsővel és udvarral egy kovácsműhelyt és a hagyományos szalmafonás eszközeit is a látogatók elé tárja. A mintegy kétszáz éves múltú szalmafonást magas szinten űzi Reszegi Lajosné népi iparművész, a fantasztikus munkájával létrehozott Aranyszalma Alkotóházban (1; 3).

A Városi Gyógyfürdőt az 1958-ban feltört 67 °C-os gyógyvíz táplálja. Területén csónakázótó, csúszda, szabadtéri medencék és fedett gyógyfürdő nyújt szolgáltatásokat.

Az ország első struccfarmja (2) tíz éve működik itt.

The Protestant church, with its history stretching back over 700 years, has been rebuilt many times. It is notable for its Copf style tower and its coffered ceiling. In front of the church is a reconstructed corner bastion and a section of the defensive wall, the bricks commemorating the nearly 600 victims of the Second World War.

The other building that dominates the main square is the Town Hall, built at the turn of the 19th and 20th centuries in Romantic style. In 1904 János Horvai's statue of Lajos Kossuth, the town's first honorary citizen, was unveiled.

In the 'Folkhouse', built in Classical style at the end of the 18th century, there is an authentic peasant interior, complete with a smithy and a straw braiding workshop. The 200 year old craft of straw braiding is still practised by the craftswoman Mrs. Lajos Reszegi in the Golden Braid Creative House, which she herself established to house the work.

The town's medicinal baths are fed by springs which emerged in 1958, carrying water at 67°C. The baths have a boating lake, slides, open air swimming pool and a covered medicinal pool.

Hungary's first ostrich farm has been working here for the last ten years.

Die 700 jährige, reformierte Kirche wurde mehrmals umgebaut. Ihr Turm im Zopfstil und die Holzfacettendecke sind besonders schön. Vor der Kirche steht die renovierte Wehrmauer mit einer Eckbastei, deren Ziegel an die 600 städtischen Opfer des 2.Weltkriegs erinnern.

Das zweite bedeutende Gebäude am Hauptplatz ist das Rathaus, das zur Jahrhundertwende 19–20 im romantischen Stil gebaut wurde. Im Park wurde 1904 die Statue von Lajos Kossuth, dem ersten Ehrenbürger der Stadt, des Bildhauers János Horvai aufgestellt.

In dem klassischen „Tájház" aus dem 18. Jh. wird das Leben der Bauern, die Geräte zum Strohflechten und im Hof eine Schmiedewerkstatt gezeigt. Die zweihundert Jahre alte Tradition des Strohflechtens wird von der Volkskünstlerin Frau Reszegi auf hohem Niveau gepflegt, sie gründete den Verein „Aranyszalma Alkotóház"

Das städtische Heilbad wird dem 67 °C heißem Wasser, der seit 1958 sprudelnden Quelle gespeist. Auf dem Gelände sind Außenbecken und überdachte Heilbecken, Rutschbahnen und ein See mit Booten.

Die erste Straußenfarm des Landes wurde vor 10 Jahren hier gegründet.

2

1

3

4
VÁROSHÁZA
5
6

HAJDÚDOROG

1912 óta az ország egyetlen görög katolikus püspöki székhelye. A 14. század első harmadában már működő templomhoz a 16. század elején őrtornyot és védőfalat építettek. A műemlék, 50 m hosszú lőréses erődfal (1) most is látható. A 18. század második felében a templomot barokk stílusban bővítették, a 19. század végén romantikus stílusban háromhajós bazilikává (3) alakították át. A székesegyház ikonosztáza országosan is figyelemre méltó, minőségileg nem marad el a miskolcitól, a szegeditől, a budapestitől vagy a szentendreitől. A székesegyház kertjében áll a Római zarándoklat szobor (5), E. Lakatos Aranka alkotása.

A városháza mellett látható a város nagy szülöttjének, Görög Demeternek (1760–1833) – a király fiainak nevelője, térképész, szőlőnemesítő, mecénás – a mellszobra (2).

A főtér dísze a Hajdú-kút a hét hajdúváros címerével (a Zsolnay-gyár alkotása), és a II. világháborús emlékmű (4), Varga Imre műve. Érdemes megtekinteni a Helytörténeti gyűjteményt és a Tájházat, valamint az ország egyetlen görög katolikus gimnáziumát. A városban termálfürdő működik.

Since 1912 the town has been the seat of Hungary's only Greek Catholic Bishopric. The church, which was already used in the 14th century, had a guard tower and defensive walls added in the 16th.. The 50 metre long crenellated defensive wall can still be seen today. The church was enlarged in Baroque style in the second half of the 18th century, and converted into a triple-aisled basilica in Romantic style at the end of the 19th. The cathedral church's iconostasis is nationally renowned and stands comparison with those at Miskolc, Szeged, Budapest and Szentendre. In the cathedral garden is a statue of pilgrims to Rome, the work of Aranka E. Lakatos.

Next to the Town Hall is a bust of one of the famous sons of the town - Demeter Görög (1760–1833), tutor to the King's son, cartographer, viticulturalist, and art collector.

The main square is decorated with the Hajdú Well with the symbol of the seven Hajdú towns (created by the Zsolnay porcelain works), and the Second World War Memorial, the work of Imre Varga. The Local History Collection and the Folk House are worth visiting, as is the country's only Greek Catholic grammar school. There is also a spa in the town.

Seit 1912 ist hier der einzige griechisch-katholische Bischofssitz Ungarns. Zu der aus dem 14. Jh. stammenden Kirche, wurden im 16. Jh. ein Wehrturm und Schutzmauern gebaut. Die 50m lange Mauer mit Schießscharten ist Denkmalgeschützt. In der zweiten Hälfte des 18. Jh. wurde die Kirche im Barockstil erweitert und am Ende des 19. Jh. im romantischen Stil, in eine dreischiffige Basilika umgewandelt. Die Ikonostase der Basilika ist landesweit beach-tenswert und ihre Qualität entspricht denen von Miskolc, Szeged, Budapest oder Szentendre. Im Garten der Basilika steht die Statue „Römische Pilgerfahrt" der Aranka E. Lakatos.

Neben dem Rathaus steht die Büste des Demeter Görög (1760–1833). Er war ein Lehrer der Königssöhne, Kartograph, Weintraubenveredler und Mäzen.

Auf dem Hauptplatz stehen der Hajdú-Brunnen, mit den Wappen der sieben Hajdústädte, ein Werk der Zsolnayer-Manufaktur und ein Mahnmal des 2. Weltkriegs von Imre Varga. Sehenswert sind das Heimatmuseum und das einzige griechisch-katholische Gymnasium Ungarns. In der Stadt ist ein Thermalbad.

2

3

1

4
5

HAJDÚBÖSZÖRMÉNY

A romantikus főtéren áll Holló Barnabás Bocskai István-szobra (4), és a hét hajdúvárost szimbolizáló „Táncoló hajdúk" szoborkompozíció, Kiss István alkotása.

A teret övezi a 15. századi eredetű barokk tornyos és festett kazettás mennyezetű, 19. század végén romantikus stílusban átépített református templom (7); a 18. században, majd a 19. században épített Hajdúkerület székháza – most Hajdúsági Múzeum (6) – gazdag régészeti, történeti, néprajzi anyaggal. Udvarán szoborpark van. Az 1621-ben alapított iskola most a Bocskai István Gimnázium (5), épülete a 19. század második felében épült romantikus stílusban. A város híres festőművészének, Maghy Zoltánnak az állandó kiállítását érdemes megtekinteni.

A városra jellemző zugok egyikében, a 19. század első feléből fennmaradt parasztházakban és udvarukon működik a Káplár-kemping.

Káplár Miklós Emlékházában (1; 3) csodálhatók meg a festő hortobágyi témájú alkotásai.

A régi temető kopjafás (2), az újban látható Káplár Miklós festő síremléke, Medgyessy Ferenc műve.

In the centre of the romantic main square is Barnabás Holló's statue of Bocskai István, and István Kiss's statue group, 'The Dancing Hajduks', the symbol of the seven Hajdú towns.

The square is bordered by the Protestant church, originally dating from the 15th century, with its Baroque tower and painted, coffered ceiling, which was converted in Romantic style at the end of the 19th century. Also by the square is the Hajdú Distruct Hall, dating from the 18th century, but rebuilt in the 19th century, which is now the Hajdúság Museum, and houses a rich collection of archaeological, historical and folklore exhibits. In the courtyard is a statue park. The school, which was established in 1621, is now the Bocskai István Grammar School, which is housed in a Romantic style building dating to the second half of the 19th century. The permanent exhibition of the works of famous local painter Zoltán Maghy is worth visiting.

Among the most interesting features of the town are the peasant houses which survive from the first half of the nineteenth century; their courtyards are now used for the Káplár campsite.

In the Miklós Káplár Memorial House are the painter's works, many inspired by the Hortobagy plain.

There are traditional graves with wooden headboards in the old cemetery; in the new cemetery is the grave of Miklós Káplár, created by Medgyessy Ferenc.

Auf dem romantischen Hauptplatz steht die Statue von István Bocskai des Barnabás Holló und die Figurenkomposition „Tanzende Hajdúk" des István Kiss, sie symbolisiert die sieben Hajdústädte.

Der Platz wird umsäumt von der aus dem 15. Jh. stammenden, reformierten Kirche mit Barocktürmen und bemalter Kassettendecke, die im 19. Jh. im romantischen Stil umgebaut wurde. Dann, von dem Hajdúsági-Museum aus dem 19. Jahrhundert. mit der reichhaltigen archäologischen, geschichtlichen und volkskundlichen Sammlung. In dessen Hof ist ein Statuenpark. Desweitern, das István Bocskai-Gymnasium, das als Schule 1621 gegründet und im 19. Jh. im romantischen Stil neugebaut wurde. Empfehlenswert ist der Besuch der Aus-stellung des Zoltán Maghy, eines berühmten Kunstmalers der Stadt. Auf einem der versteckten Plätze der Stadt ist auf einem Bauernhof aus dem 19. Jh. der Káplár-Campingplatz.

Im Erinnerungshaus des Miklós Káplár kann man seine Bilder mit Themen der Hortobágy Puszta bewundern. Im alten Friedhof sieht man noch die alten Holzstelen und im Neuen steht das Grabmal von Miklós Káplár des Ferenc Medgyessy.

1

HAJDÚHADHÁZ

166–167

A neoromán stílusú kéttornyú református templom (2) 1873. január 1-jére épült fel. 1944 októberében gyújtógránát-lövedék találta el, romhalmazzá vált. 1949 óta folyamatosan újították fel, a két karzat még most is hiányzik.

A főtéren áll Pély Nagy Gábornak, a Hajdúkerület főkapitányának a síremlékköve, mellette a dr. Földi János orvos, nyelvész, író emlékét hirdető obeliszk. Földi munkásságát emlékházában kiállítás mutatja be.

A parkban megtekinthető Bocskai István mellszobra, az I. világháborús emlékmű és a II. világháború áldozatai emlékére állított kopjafa.

A 19–20. század fordulóján épült Városházán (3) is több szép pannóban gyönyörködhetünk.

A város szülötte, Égerházi Imre festőművész kezdeményezéseként a városban található az ország legnagyobb pannógyűjteménye. A Dr. Földi János Általános és Művészeti Iskolában 24 hazai és határon túli magyar festőművész alkotta, 5–11 m^2-es pannó (1; 4; 5; 6) látható.

A Szilágyi Dániel Gimnáziumban és Közgazdasági Szakközépiskolában is megcsodálhatunk néhány történelmi témájú pannót. Az iskola névadója Hadházon született, a szabadságharc katonája, majd Kossuthot kísérő bujdosó lett. Konstantinápolyban ő fedezte fel a Mátyás Corvinákat. Ő járt el a török kormánynál, hogy fogadják Ferenc Józsefet, akinek a szultán négy Corvinát ajándékozott.

The Neo-romanesque style twin-towered Protestant church was completed on 1st January 1873. In October 1944 it was hit by incendiary bombs and virtually ruined. Since 1949 it has been continually renewed, although even today the two galleries are still missing.

In the main square is a memorial stone to Gábor Pély Nágy, the sheriff of the Hajdú area, and next to this an obelisk commemorating János Földi, doctor, linguist and writer. An exhibition in the memorial house shows the world of the agricultural labourer.

In the park is a bust of István Bocskai and memorials to the dead of the First and Second World Wars.

The Town Hall, built at the turn of the 19th and 20th century, contains many fine wooden panel paintings. Thanks to Imre Égerházi, who was born in the town, Hajdúhadház hosts Hungary's largest collection of wooden panel paintings. In the Dr. János Földi Arts Primary School, the works of 24 Hungarian and foreign painters are on display, with panels ranging from 5 to 11 square metres.

In the Dániel Szilágyi Grammar School and the Economics Secondary School there are various panels with historical themes. Szilágyi was born in the town, fought in the Freedom War of 1848–49, and then followed Kossuth into exile. In Istanbul he discovered the Mátyás Corvinas (decorated codices from King Mátyás's Library), gained an audience with the Turkish Sultan, and persuaded him to receive the Emperor Franz Joseph, to whom the Sultan gave four of the precious volumes.

Die reformierte Kirche mit zwei Türmen, im neoromanischen Stil wurde am 1.Januar 1873 fertiggestellt. Im Oktober 1944 wurde sie von einer Granate getroffen und zerstört. Seit 1949 wird sie wiederaufgebaut, bis heute fehlen noch die beiden Emporen. Auf dem Hauptplatz steht der Grabstein des Hauptmannes Gábor Nagy Pély und daneben ein Obelisk, der an Dr. János Földi erinnert, einem Arzt, Sprachforscher und Schriftsteller. In seinem Haus wird sein Lebenswerk ausgestellt.

Im Park sind zu besichtigen, die Büste von István Bocskai, das Denkmal des 1. Weltkriegs und die Stele zur Erinnerung an die Opfer des 2. Weltkriegs.

Im Rathaus aus dem 19–20. Jh. sind gerahmte Tafelbilder ausgestellt. Der Kunstmaler Imre Égerházi, ein Sohn der Stadt, regte die größte Tafelbildersammlung des Landes an. In der Dr. János Földi Grund- und Kunstschule ist ein 5–11m^2 großes Tafelbild, das von 24 ungarischen Künstlern aus dem In- und Ausland geschaffen wurde.

Im Dániel Szilágyi-Gymnasium sind Tafelbilder mit geschichtlichen Motiven. Der aus der Stadt stammende Namenspatron der Schule war ein Freiheitskämpfer und mit Kossuth auf der Flucht. In Konstantinopel hat er die Mátyás Corvina (Bibliothek) entdeckt. Er arrangierte einen Empfang von Franz Josef beim Sultan, der ihm vier Bände der Corvina geschenkt hat.

2

1

3

4

5

6

DEBRECEN

168–169

Az ország második legnépesebb városa, a „Kálvinista Róma", „a magyar szabadság őrvárosa" központjában áll a klasszicista Református Nagytemplom az 1820-as évek óta. 1849. április 14-én benne olvasta fel Kossuth Lajos a Habsburg-ház trónfosztását is tartalmazó Függetlenségi Nyilatkozatot. A templom előtt áll a város újjávarázsolt sétálótere a Kossuth-szoborral, a város címerével, a hatalmas, zenélő szökőkúttal és harangjátékkal.

Az Emlékkertben Bocskai István szobra (7) és a Protestáns gályarabok emlékműve (1) tekinthető meg, amelyet 1991-ben II. János Pál pápa is megkoszorúzott.

Az 1538-ban alapított klasszicista Református Kollégium (5) „az ország és a szegények iskolája" volt. 1849. január elejétől május végéig az Imatermében ülésezett az Országgyűlés képviselőháza Kossuth Lajos vezetésével. 1944. december 21-én itt ült össze az Ideiglenes Nemzetgyűlés, s választotta meg az Ideiglenes Demokratikus Kormányt. Gazdag könyvtárában és múzeumaiban nagy értékű gyűjteményeket csodálhatunk meg.

A felújított Déri teret Medgyessy Ferenc híres szobrai és a Déri Múzeum (2) eklektikus épülete díszíti, amelyben a Dériek egyedülálló értékeiben gyönyörködhetünk.

Kiemelkedő Munkácsy Mihály Krisztus-trilógiája (6), a Krisztus Pilátus előtt, a Golgota és az Ecce homo című alkotás.

Az ország első természetvédelmi területe, a Nagyerdő igazi vonzereje a Nagyerdei Fürdőkombinát (3) és Debreceni Egyetem (8) eklektikus központi épülete a franciaparkkal és a szökőkutakkal.

In the centre of the second most populous city in Hungary, the 'Calvinist Rome', the 'Garrison town of Hungarian Freedom', is the Classical Protestant Great Church, built in the 1820s. On the 14th April 1849 Lajos Kossuth read out the deposition of the House of Hapsburg from the Hungarian throne and the Declaration of Independence. In front of the church, in the newly created pedestrian square, is the statute of Kossuth, the city's crest, the huge, musical fountain, and the musical bells.

The statue of István Bocskai and the memorial to the Protestant galley slaves can be seen in the Memorial Garden and a wreath was laid here by Pope John Paul II when he visited in 1991.

The Classical Protestant College, founded in 1538, was the 'school for the nation and the poor'. From the beginning of January to the end of May 1849 the Parliamentary representatives held sessions in the Prayer Room, under the leadership of Lajos Kossuth. On 21st December 1944 the Provisional Parliament sat here and elected the Provisional Democratic Government. There is a fine collection of books and exhibits of interest in the Library and Museum.

The recently renovated Déri Square has a famous statue of Ferenc Déri and lies in front of the eclectic Déri Museum, with its unique collection gathered by the Déri family.

Of exceptional interest is the Trilogy of Christ by Mihály Munkácsy, comprising 'Christ before Pilate', 'Golgotha' and 'Ecce Homo'.

In Hungary's first environmentally protected area, the Great Forest, the combined Baths are a great attraction, as are the eclectic buildings of Debrecen University standing behind a beautiful fountain in a fine French park.

Die zweitgrößte Stadt des Landes, das „Kalvinistische Rom" und Grenzstadt der ungari-schen Freiheit. In ihrer Mitte steht seit 1820 die klassizistische, reformierte Großkirche. Lajos Kossuth hat hier am 14. April 1849 die Unabhängigkeit von Wien erklärt und die Ent-thronung der Habsburger gefordert. Vor der Kirche, in dem renovierten Flanierpark stehen die Kossuth-Statue, das Stadtwappen, der musizierende Spring-brunnen und ein Glockenspiel.

Im Gedenkpark steht die Statue von István Bocskai und das Denkmal des prostetantischen Galeerensklaven, an dem Papst Johannes Paul II. 1991 einen Kranz niederlegte.

Das 1538 gegründete klassizistische, reformatische Kollegium war eine „Schule für das Land und die Armen". Vom1. Januar bis Ende Mai 1849 hat im Gebetsraum des Kollegiums das Abgeordnetenhaus des Parlaments unter der Leitung von Lajos Kossuth getagt. Am 21.Dezember 1944, nach dem Einmarsch der Russen, ist hier die provisorische Volks-versammlung zusammengetreten und hat die prov.- demokratische Regierung gewählt. In den reichen Bibliotheken und Museen kann man wertvolle Sammlungen betrachten.

Den renovierten Déri Platz schmücken die berühmten Statuen des Ferenc Medgyessy und das eklektische Gebäude des Déri-Museums, mit deren einzigartigen Schätzen.

Herausragende Werke sind die Christus-Trilogie von Mihály Munkácsy, die Bilder Christus vor Pilatus, Golgatha und Ecce Homo.

Das erste Naturschutzgebiet Ungarns, das „Nagyerdő" ist ein Anziehungspunkt mit seinem Heilbad, dem eklektischem Zentralgebäude der Debrecener Universität, dem französischen Park, der Freilichtbühne und den Springbrunnen.

4

5

6

7

8

HAJDÚSZOBOSZLÓ

Az Európában is ismert gyógyfürdőváros legszebb parkjában áll a település 1076-os, első írásos említésének emlékműve, valamint Pávay Vajna Ferenc, a gyógyvíz felfedezőjének a mellszobra és a Harangház. A város szülötte, Oborzil Edit és férje, Jenei Tibor ötven különleges alumíniumharangot (8) kísérletezett ki, s a városnak ajándékozta. Úgy szólnak, mintha bronzból lennének.

A Városi Fürdőkombinát (5; 6; 7) területén rendkívül jól felszerelt fedett gyógyfürdő, több fürdőmedence, valamint a népszerű hullám- és pezsgőmedence várja a látogatókat. A nemzetközi úszóversenyek rendezésére alkalmas medence, az Árpád Fedettuszoda, az Aqua Park szintén a vendégek pihenését, sportolását, szórakozását szolgálják. A környezet vonzerejét emeli a csónakázótó, a sok zöld, virágos park és szobor.

A város legértékesebb műemléke a református templom és az erődfalmaradvány a bástyával (4). A római katolikus templomban II. János Pál pápa még érsekként tartott misét a kabai cukorgyárat építő munkásoknak.

Fazekas István népies stílusú háza (1) és fekete kerámia alkotásai (2; 3), a Bocskai István Múzeum értékes anyaga, és a Modern Galéria művei nagy élményt jelentenek a látogatónak.

In the most beautiful park of this medicinal spa town, which is known all over Europe, is a memorial to the first recorded reference to the settlement in 1076, as well as a bust of Ferenc Pávay Vajna, the discoverer of the medicinal waters, and the Bell House. Edit Oborzil and her husband Tibor Jenei created 50 separate aluminium bells, which they then donated to the town. The bells sound as good as if they were made from bronze.

The Town Combined Baths is an exceptionally well-appointed covered bathing area, with several pools, including the popular wave- and bubbly-pools. The international standard competitive pool, the Árpád covered pool, and the Aqua Park all offer visitors places to relax, exercise and enjoy themselves. Among the attractions of the area are the boating lake and the many green parks full of flowers and statues.

The most valuable historical monument in the town is the Protestant church and the defensive walls of the fort with bastions. Pope John Paul II, then a bishop, held a Mass in the Catholic church for the workers at the nearby Kaba sugar factory.

The folkloric style house of István Fazekas, and his blackware pottery are part of the Bocskai István Museum and the Modern Gallery, and are well worth a visit.

Im schönsten Park der europaweit bekannten Heilbäderstadt stehen ein Denkmal, das an die erste urkundliche Erwähnung von 1076 erinnert und die Büste des Ferenc Vajna Pávay, dem Entdecker des Heilwassers, sowie das Glockenhaus. Das Ehepaar Edith Oborzil und Tibor Jenei haben mit 50 verschiedenen Aluminiumglocken experimentiert und dann das, wie Bronzeglocken klingende Glockenspiel, der Stadt geschenkt.

Die städtischen Badeanlagen umfassen mehrere Freibäder, überdachte Heilbäder und die beliebten Wellen- und Sprudelbecken. Der Aquapark ist zur Erholung und Vergnügung der Badegäste angelegt worden. Im Árpád-Sportbad werden internationale Schwimmwettbewer-be veranstaltet. Die Anziehungskraft der Umgebung wird erhöht durch den See mit Boots-verleih und die Grünanlagen mit Blumen und Figuren.

Das wertvollste der Stadt ist die denkmalgeschützte reformierte Kirche mit einem Stück der Wehrmauer der alten Bastei. In der rk. Kirche der Stadt hat Papst Johannes Paul II., noch als Erzbischof, eine Messe für die Bauarbeiter, welche die Zuckerfabrik von Kaba gebaut hatten, zelebriert.

Das volkstümliche Haus des István Fazekas und dessen Schwarzkeramik, die reichhaltige Sammlung des István Bocskai-Museums und die Werke der modernen Galerie sind ein sinnliches Vergnügen für die Besucher.

2

3

1

4

Eskimo
5

6
HUNGUEST HOTEL AQUA

7

8

HORTOBÁGY

Hortobágy közigazgatási központja rendelkezik az ország legjelentősebb népi klasszicista építészeti együttesével.

Az ország leghosszabb – 167 méteres – közúti kőhídját, a kilenclyukú hidat (6) Povolny Ferenc tervezte, a 19. század első harmadában épült fel.

A Hortobágyi Pásztormúzeum (2) a 17. század végén szekérállásnak épült. Mai formáját száz év múlva kapta. 1965 óta a 19–20. század fordulójának pásztoréletét mutatja be. Közelében áll Somogyi Árpád „Pásztorfiú" és „Az Alföld népe" című szoborkompozíciója. A Világörökség emlékműve mögött a Körszínben az ország első nemzeti parkjának a természeti és ember alkotta értékeit ismerheti meg a látogató.

A Hortobágyi Csárda (4) első épülete a szekérállással egy időben épült. A mai épület nyugati szárnya a 18. század végén, a keleti a 19. század második évtizedében készült el. Külső falán a domborműves emléktábla Petőfi 1842. évi látogatására emlékeztet.

A „fehér háznak" nevezett épületben a Hortobágyi Természetvédelmi és Génmegőrző Kht. működik, nagytermében a Hortobágyi Körkép redukált változata, a Polgármesteri Hivatal Galériájában a Hortobágyi Nemzetközi Alkotótábor anyaga látható. Mátán a Hotel Eponában és a lovasházakban (1) szállhatnak meg a vendégek, s pusztabuszokkal tekinthetik meg az 1973-tól működő Hortobágyi Nemzeti Park egy részét. Jelentős rendezvényeken lovasbemutatóban (5) gyönyörködhetnek az ide látogatók.

The Hortobágy administers the country's most important collection of classical Hungarian style folk buildings.

Hungary's longest public stone bridge – 167 metres – is a nine-arched construction designed by Ferenc Polvony and completed in the first third of the 19th century.

The Hortobágy Shepherd's Museum was established in what was a resting post for carts at the end of 17th century. It took its present form 100 years later. Since 1965 the Museum has shown the lifestyle of shepherds at the turn of the 19th–20th centuries. Nearby are the statue groups, 'son of a Shepherd', and 'People of the Plain', by Árpad Somogyi. Behind the World Heritage Memorial is the Amphitheatre, which shows the natural and human treasures of the national park.

The first building of the Hortobágy Inn dates from the same period as the cart resting post. Today's building has a western section from the end of the 18th century and an eastern section from the 1820s. The memorial plaque on the wall features a relief commemorating the visit of the poet Petőfi in 1842.

In the 'white house' is the headquarters of the Hortobágy Environmental Protection and Genetic Preservation Agency. In the main hall is a reduced version of the Hortobágy round picture, and in the Mayor's Office is work produced by the International Camp for Creative Artists. Today guests can stay in the Hotel Epona and visit the stables, and since 1973 buses have been talking tourists around part of the National Park. There is an equestrian showground which hosts various events.

2

Die Neunbogenbrücke, eine 167m lange steinerne Straßenbrücke, die längste in Ungarn wurde von Ferenc Povolni geplant und 1833 gebaut.

Das Hortobágyer Hirtenmuseum wurde Ende des 17. Jh. als Wagenremise gebaut. Seine jetzige Form bekam es erst 100 Jahre später. Es zeigt seit 1965 das Hirtenleben in den vergangenen Jahrhunderten. In der Nähe stehen die Figuren „Der Hirtenjunge" und „Das Volk im Tiefland". Ein Rundgang hinter dem Weltkulturerbe führt an den Errungenschaften der Natur und des Menschen in dieser Landschaft vorbei.

Das erste Gebäude der Hortobágyer Csárda wurde zur Zeit der Remise gebaut. Der westliche Flügel des Gebäudes wurde Ende des 18. Jh. und der östliche in der zweiten Hälfte des 19. Jh.angebaut. An der Außenwand erinnert eine Gedenktafel an den Besuch des Dichters Petőfi 1842.

In dem „Weißen Haus" ist das Genetische Archiv des Hortobágyer Naturschutzgebiets. Im Großen Saal ist eine Verkleinerung des Rundbildes. In der Galerie des Rathauses sind Werke der internationalen Künstler Workshops ausgestellt. Im Hotel Epona in Máta und bei den Reitställen können die Touristen auf Kutschfahrten über die Puszta, den seit 1973 bestehenden Nationalpark besichtigen. Besondere Veranstaltungen erfreuen die Besucher mit Vorführungen der Pferde und der mächtigen, ungarischen Graurinder.

3

1

HORTOBÁGYI
CSÁRDA
NYITVA

TISZACSEGE

A Tisza-parti város termálvizes fürdőjéről egyre ismertebb mind Észak-Magyarországon, mind a közeli országokban, Szlovákiában és Lengyelországban egyaránt, de nyaranta igen sok vendég érkezik a fürdőbe nyugati országokból is. Az olajkutatók akadtak rá 1972-ben 1300 méter mélységben a 73 °C-os termálvízre. A termálstrand 1981-ben nyitotta meg a kapuit, medencéit és zuhanyozóit a feltárt termálvízzel táplálják. A fürdő mellett kempinget is létesítettek.

A város már a korai középkorban is fontos tiszai átkelőhely volt, s 1526-tól a 17. század végéig mezővárosi ranggal rendelkezett. A legjelentősebb szálláshely a Hotel Tiszatherm, 90 fő befogadására alkalmas.

A város legrégebbi építészeti alkotása a barokkos külsejű református templom (3), amely egy középkori gótikus épület maradványait rejti magában, s 1975-ben tárták fel. A városban található az 1833-ban épült „Zsellérház" (1), amely 1962 óta múzeumként fogadja a látogatókat. A kiállítás bemutatja a 19. századi Csege lakóinak életkörülményeit. Különösen vonzó látnivaló a külföldiek számára a gólyakolónia.

A Tisza-partról komppal (4) lehet átkelni Ároktő faluba. Évek óta szolgálja a vendégek szórakozását a Csege nevű 150 személyes motoroshajó. Leghosszabb útja a 88 km-re levő Tokajba vezet. Évek óta a csegei napok rendezvénysorozat keretében díjugrató lovasversenyt is rendeznek. Horgászhelyek várják a pecázni vágyókat. A Halászcsárda (5) a finom halételeket kínálja. A város külterületén, Nagymajorban egy 19. századi vadászkastélyt (2) újítanak fel.

1

The thermal waters of this spa on the banks of the River Tisza are more and more popular with visitors from Northern Hungary and neighbouring Slovakia and Poland, and in summer many guests arrive from Western Europe too. In 1972 oil-exploration struck the 73°C water source at a depth of 1300 metres. The spa area opened its gates in 1981, and its pools and showers are supplied by the thermal water source. Next to the spa is a campsite.

The town was already an important crossing point on the River Tisza in the early Middle Ages, and between 1526 until the end of the 17th century it enjoyed borough status. The most important hotel is the Hotel Tiszatherm, capable of accommodating 90 guests.

The oldest building in the town is the Protestant Church with its Baroque exterior, which hid a medieval Gothic building until this was uncovered in 1975. Also in the town is the Zseller House, built in 1833, which has been a museum since 1962. The museum shows the lifestyle of the people of Csege in the 19th century. Of particular interest to visitors from abroad is the stork colony.

From the Tisza bank a ferry takes visitors across to the village of Ároktő. For many years the 'Csege' pleasure boat, which can seat 150, has been taking holidaymakers up and down the river. The longest trip is the 88 kilometres to Tokaj. Another established feature is the showjumping competitions, which are held regularly. There are also many places to fish from. The Halászcsárda (Fisherman's Inn) offers fine fish dishes. On the outskirts of the town, in Nagymajor, a 19th century hunting mansion is being renovated.

2

Das Thermalbad der Stadt am Theißufer wird immer bekannter, die Gäste kommen nicht nur aus Polen und der Slowakei, sondern auch aus Westeuropa. Die Ölsucher entdeckten die Thermalquelle mit 73° heißem Wasser, bei einer Bohrung auf 1300m Tiefe. Das Thermalbad öffnete 1981 seine Pforten. Seine Becken und Duschen werden mit dem Thermalwasser gespeist. Neben dem Bad ist ein Campingplatz.

Die Stadt war schon im Mittelalter ein wichtiger Theißübergang und hatte von 1526 bis zum Ende des 17. Jh. die Marktrechte. Eine günstige Übernachtungsmöglichkeit bietet auch das Hotel Tiszatherm mit 90 Betten.

Das älteste Gebäude der Stadt ist die mit barocker Fassade erhalten gebliebene reformierte Kirche, die bei einer Renovierung 1975 ihr gotisches Innenleben preisgab. In der Stadt befindet sich das „Zsellérház", ein typisches Kleinhäusler oder Leibeigner Haus von 1833, das seit 1962 als Museum die Besucher empfängt. Die Ausstellung zeigt die Lebens-bedingungen der Leute im damaligen Csege um 1900. Besonderes Interesse erweckt bei ausländischen Besuchern die Storchenkolonie.

Mit der Fähre gelangt man ins Nachbardorf Ároktő. Das Motorboot „Csege" erfreut seit Jahren die Fahrgäste mit Bootausflügen bis ins 88km entfernte Tokaj. Bei den Cseger Tagen werden traditionell Pferdewettbewerbe mit Preisverleihung durchgeführt. Für die Angler gibt es beißfreudige Plätze. In der Fischer Csárda gibt es feine Fischgerichte. Am Stadtrand, in Nagymajor wird das alte Jagdschloß renoviert.

3

4

5

BEREKFÜRDŐ

Pávai Vajna Ferenc főgeológus szénhidrogén után kutatva egy 800 m és egy 1200 m mély kutat fúrt. A kutakból 56 °C-os, alkáli-hidrogénkarbonátos, jódos víz tört fel. 1932-ben erre a termálvízre épült fel a gyógyfürdő (6; 7). A gyógyvíz különösen hatékony a mozgásszervi megbetegedések gyógyítására. A gyógyfürdő csodálatosan parkosított területén hat szabadtéri medence és egy fedett fürdő várja igen sok szolgáltatással egész évben a pihenni, gyógyulni vágyókat. A település szinte minden utcáján felépültek az intézményi és magánüdülők.

A Megbékélés házát (1; 5) a református egyház építette. A modern épületegyüttesben konferenciákat rendeznek, de sok üdülő vendég, diák is felkeresi ezt a minden igényt kielégítő épületet.

A gyógyvízzel együtt földgáz is feltört, erre építették fel 1938-ban az azóta is igen népszerű üveggyárat. Ma is meg lehet tekinteni a gyárban az üvegfúvó technikával készülő üvegeket. Elsősorban az ún. „fátyolüveg"-termékek váltak világhírűvé. Református (4) és katolikus temploma (3), Millenniumi emlékműve (2) a település jelentős értéke.

Ferenc Pávai Vajna, chief geologist searched for carbohydrogen, and sank an 800 and a 1200 metre well. From the wells 56°C alkaline, hydrocarbon-, and iodic rich water sprang up. The baths were built up around this source in 1932. The waters are particularly effective for the treatment of motor diseases. The spa is located in a beautiful park and has seven open air- and one covered bath, and offers a full range of facilities to those in search of relaxation or treatment. Almost every street in the settlement has privately or publicly owned accommodation for visitors.

The Peace House was built by the Protestant Church. This modern collection of buildings hosts conferences, but also welcomes visitors to the spa and students.

Together with the medicinal waters, natural gas was also discovered, and this led to the construction of the popular glassworks in 1938. Today visitors can still watch glass-blowing techniques in the factory. The works is mainly famous for its 'veiled glass' products. Other important buildings in the town include the Protestant and Catholic churches, and the Millennium Memorial.

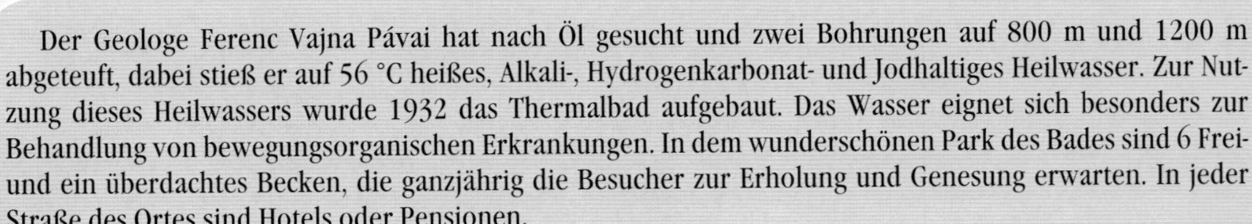

Der Geologe Ferenc Vajna Pávai hat nach Öl gesucht und zwei Bohrungen auf 800 m und 1200 m abgeteuft, dabei stieß er auf 56 °C heißes, Alkali-, Hydrogenkarbonat- und Jodhaltiges Heilwasser. Zur Nutzung dieses Heilwassers wurde 1932 das Thermalbad aufgebaut. Das Wasser eignet sich besonders zur Behandlung von bewegungsorganischen Erkrankungen. In dem wunderschönen Park des Bades sind 6 Frei- und ein überdachtes Becken, die ganzjährig die Besucher zur Erholung und Genesung erwarten. In jeder Straße des Ortes sind Hotels oder Pensionen.

Die reformierte Kirchengemeinde hat das Haus der Aussöhnung gebaut. In dem modernen Gebäudekomplex werden Konferenzen abgehalten, aber er wird auch von vielen, teils jugendlichen Gästen besucht.

Mit dem Heilwasser wurde auch Erdgas entdeckt und zu dessen Nutzung wurde 1938 eine Glasfabrik errichtet. Bei Besichtigungen der Glasfabrik wird die Technik der Flaschenher-stellung gezeigt. Die Milchglasprodukte wurden weltberühmt. Die katholische- und die reformierte Kirche sind interessant.

3

4

5

6

7

KARCAG

178–179

A Győrffy István Nagykun Múzeum (1; 5) 35 éve a 19. század első harmadában, klasszicista stílusban épült kúriában működik. A Nagykunságra jellemző összes értéket gyűjtenek itt. Az egyik állandó kiállítás a táj életét és gazdálkodását mutatja be, a másik Győrffy István életével és munkásságával ismertet meg. Kántor Sándor fazekas (7) Győrffy István biztatására újította fel az alföldi fazekashagyományokat. Készített tiszafüredi, mezőcsáti, sárospataki, gyöngyösi és pásztói kerámiákat. A híres mester tevékenységéért Kossuth-díjat is kapott. Ma a Kántor Sándor Fazekasházban (2; 8) gyönyörködhetünk alkotásaiban.

A város szélmalma (9) a 19. század közepén épült téglából, s téglafallal vették körül. A Zádor-híd eredetileg kilencnyílásúként épült a 19. század elején. Az 1830-as tiszai árvíz idején mindkét hídfőjénél két-két íve beomlott, 1833-ban ötnyílású hídként újították fel. A Tisza-szabályozás után a terület mentesült az árvizektől, azóta nem folyik víz a híd alatt.

A városban sok szép szobor van, többnek az alkotója Győrfi Sándor itt lakó szobrász, egyik legszebb műve a múzeum mellett Győrffy István bronzalakja. A városi fürdőt a 66 °C-os konyhasós-jódos termálkút táplálja. A város határának egy része a Hortobágyi Nemzeti Parkhoz tartozik, ott látható a szélmalom (9), a Szélmalmi Fogadóház (6) és a híres Zádor híd (10).

The István Győrffy Nagykun Museum has been open for 35 years in the Classical style mansion built in the first third of the 19th century. A comprehensive collection of valuable and interesting objects from the Nagykunság region (settled by the Cumman people in the Middle Ages) is gathered here. One of the permanent exhibitions features the life and agricultural economy of the region, the other the life and work of István Győrffy, who asked the potter Sándor Kántor to reinvigorate the pottery traditions of the Alföld (Hungarian plain). Ceramic ware in the Tiszafüred, Mezőcsát, Sárospatak, Gyöngyös and Pásztó styles was produced here. The famous master received a Kossuth Prize in recognition of his work, which can be admired today in the Sándor Kántor Pottery House.

The town's windmill was built in the middle of the 19th century from brick and is surrounded by brick walls. The Zádor Bridge was originally a nine-arched bridge dating from the beginning of the 19th century. During the Tisza floods of 1830 both ends of the bridge lost two arches and the bridge was reopened in 1833 as a five arched bridge. Since the Tisza drainage project the area is free from floods and water no longer flows under the bridge.

There are many fine statues in the town, most the work of Sándor Győrffy, who lived here. One of the finest pieces is the bronze of István Győrffy next to the Museum. The town's baths use salt and iodic rich water which comes up from a hot well at a temperature of 66 °C. Part of the Hortobágy National Park lies by the town and here can be seen the windmill, the Windmill Guesthouse, and the famous Zádor Bridge.

Das „Győrffy István Nagykun" Museum ist seit 35 Jahren in dem klassizistischen Kurienhaus aus dem 19. Jh. Hier werden die typischen Schätze aus der Gegend des Nagykunság gezeigt. Eine Dauerausstellung zeigt das Leben und die Bewirtschaftung des Landes. Eine andere, das Lebenswerk des István Győrffy. Der Töpfer Sándor Kántor hat, nach Ermunterung durch Győrffy, die Töpferkunst des Tieflandes erneuert. Er hat die Muster und Techniken aus den Städten Tiszafüred, Mezőcsát, Sárospatak, Gyöngyös und Pásztó für seine Keramiken verwendet. Der berühmte Meister hat für seine Arbeit den Kossuth Preis erhalten. Heute sind die Werke in seinem Haus ausgestellt.

Die Windmühle der Stadt wurde in der Mitte des 19. Jh. mit Ziegeln gebaut und mit einer Ziegelmauer umgeben. Die ursprüngliche Zádorbrücke mit neun Bögen wurde Anfang des 19. Jh. gebaut. Bei dem Hochwasser 1830 sind jeweils die beiden äußeren Bögen eingestürzt und deshalb wurde die Brücke 1833 mit 5 Bogen renoviert. Danach wurde die Brücke vom Hochwasser verschont und seit der Flussbegradigung fließt kein Wasser mehr unter der Brücke.

In der Stadt sind viele Statuen des Sándor Győrfi, sein schönstes Werk ist die Bronzestatue von István Győrffy. Das Stadtbad wird von der 66 °C heißen, salzigen Jod und Fluorhaltigen Thermalquelle gespeist. Ein Teil des Stadtgebiets liegt im Hortobágy Nationalpark.

6

7

8

9

10

SZARVAS

A szarvasi arborétumot (4; 5) és a „Pepi-kertet" az olasz eredetű Bolza család alapította és fejlesztette. Bolza Péter tábornok a 18. század végén lett szarvasi földbirtokos. Fiuk, Bolza József a feleségével kezdte meg a mai Anna-liget fásítását. A park és a később épült kastély (3) most a Körös–Maros Nemzeti Park Igazgatósága. Fia, Bolza József – akit „Pepinek" hívtak – a mai arborétum magasabban fekvő részein ültetett fákat. A kastélyt és a birtokot Bolza Pál örökölte, aki az 1890-es években kezdte meg a telepítést, a mai arborétum létesítése az ő érdeme. Az Anna-liget sok értékes fáját ültette át a mai helyükre. A kert felügyeletét az államnak ajánlotta fel az 1940-es években. Az államosítás után a terület egyre bővült, új gyűjtemények születtek. Ma öt fás gyűjteményt gondoz az arborétum, a legidősebb, a Pepi-kert, a Mittrowszky-kert és az ún. Konyhakerti rész látogatható. A gyűjteményben 1200 lomblevelű fa van. Közel száz madárfaj él itt vagy vonul át. Tavasszal a legszebbek a fák: a közönséges júdásfa, a sárga vadgesztenye és a nagy virágú liliomfa.

A Szarvas-szobor a város jelképe. A Tessedik Sámuel Múzeum épületét a névadó építtette 1791-ben gazdasági iskolának. Tessedik szobra 1942-ben készült. A 19. század első harmadában épült az ország egyetlen működőképes, eredeti helyén fennmaradt szárazmalma (2).

A Szlovák Tájház egy 19. század második felében épült, jómódú parasztházban berendezett néprajzi gyűjtemény. A történelmi Magyarország középpontját szélmalomra emlékeztető építmény jelzi a Holt-Körös partján.

Érdemes megtekinteni az 1812-ben késő barokk stílusban épült római katolikus templomot (6), amelynek oltárképét Murillo vagy egyik tanítványa festette. Érdekes látnivaló a város első artézi kútja (7).

The Szarvas Arboretum and the Pepi Garden were established and developed by the Bolza family who originally came from Italy. The military commander Péter Bolza became a landowner at the end of the 18th century. His son József Bolza and his wife began the planting of the Anna Grove. The park and the mansion built later are now the home of the Körös-Maros National Park Administration. His son, also József Bolza, known as Pepi, planted trees on the higher ground in today's arboretum. The mansion and the grounds were inherited by Pál Bolza, who, in the 1890s, began the planting of the current arboretum, which is largely his work. Many valuable trees were transplanted from the Anna Grove to where they stand today. The garden was offered to the state in the 1940s, and after it passed into state hands it was gradually enlarged and received new plant collections. Today there are five tree collections in the arboretum, and parts of the oldest in the Pepi Garden, the Mittrowszky Garden and the so-called Kitchen Garden can be visited. In the collection there are 1200 broad-leaved trees, and around 100 bird species live here or travel through. The trees are at their finest in springtime, particularly the Common Judas Tree, the Yellow Wild Chestnut and the large-flowered Lily Tree.

The statue of the Stag is the symbol of the town. The Sámuel Tessedik Museum was built by its founder in 1791 as a school of economics. The statue of Tessedik was completed in 1942. Hungary's only working horse-driven mill to be operating at its original site was built in Szarvas the first third of the 19th century.

The Slovak Folkhouse is located in a fine peasant house dating from the second half of the 19th century, and contains a folklore collection. The Holt-Körös river bank is notable for its windmill which commemorated the geographical centre of the historical territory of Hungary.

The late Baroque Catholic church, built in 1812 is worth visiting, and has an altar painting by Murillo or one of his school. Another interesting site is the town's first artesian well.

Das Arboretum, den sogenannten „Pepi-Garten" hat die aus Italien stammende Familie Bolza gegründet. Der General Péter Bolza wurde Ende des 18. Jh. ein Großgrundbesitzer in Szarvas. Der Josef Bolza hat mit seiner Frau bei der heutigen Anna-Liget angefangen einen kleinen Garten zu pflanzen. Sein Sohn Pepi hat das heutige Arboretum auf einem höhergelegenen Platz angelegt. Das Anwesen mit Schloß hat Pál Bolza geerbt, er hat daraufhin ab 1890 die Planzungen erweitert. Das Arboretum ist ihm zu verdanken. Er hat die Bäume aus dem Anna-Liget auf ihren heutigen Platz umgesetzt. 1940 hat er die Verwaltung des Parks an den Staat übergeben. Nach der Verstaatlichung wurde der Park erweitert und mit neuen Pflanzungen verschönert. Im Schloß befindet sich jetzt die Verwaltung des Körös-Maros-Nationalparks. Der Botanische Garten ist in fünf Themengärten aufgeteilt, der Pepi-Garten, der Mittrowszky- und der Küchenkräutergarten sind davon zu besichtigen. Über 1200 Bäume ermöglichen zahlreichen Vögel das Brüten oder bieten einen Rastplatz für Zugvögel. Am schönsten ist die Frühlingszeit mit herrlich blühenden Judasbäumen, gelbblühenden Rosskastanien und Magnolien.

Die Hirschstatue ist das Symbol der Stadt (Szarvas, der Hirsch). Der Samuel Tessedik hat die erste Wirtschaftsschule um 1791 gebaut, das heutige Museum. Die Tessedik-Statue wurde 1942 aufgestellt. 1836 wurde die, einzige auf ihrem ursprünglichen Platz erhaltene, Trockenmühle in Betrieb genommen.

Das slowakische Heimatmuseum wurde, in der zweiten Hälfte des 19. Jh., im Haus eines begüterten Bauern eingerichtet. Am Ufer eines Altarms des Körös steht das, an eine Windmühle erinnernde Gebäude, das den Mittelpunk des geschichtlichen Ungarn darstellt.

Empfehlenswert ist die Besichtigung der 1812 im Spätbarock gebauten rk. Kirche deren Altarbild von Murillo oder von seinem Schüler gemalt wurde. Interessant ist der erste Artesische Brunnen der Stadt.

3
4
5
6
7
CERES
GABONANAK
ISTENNŐJE

Hódmezővásárhely

A Tisza–Maros szögében levő város termálfürdőjében hasznosított 42 °C-os, alkáli-hidrogénkarbonátos víz a mozgásszervi és a reumatikus betegségeket gyógyítja. A fürdő területén több szép szoboralkotás áll.

A Városháza a 19. század végén épült eklektikus stílusban. Dísztermét (2) nagy történelmi személyiségeink portréi díszítik.

A Tornyai János Múzeumot (4; 6) a névadó ösztönzésére száz éve alapították. A múzeumban Tornyai emlékszobájában az életművét, valamint kiemelkedő régészeti értékeket és a Mártélyi Képzőművészeti Szabadiskola műveit ismerhetjük meg. A Csúcsi Fazekasházat (1) harminc éve nyitották meg Vékony Sándor fazekas népművész házában. A műhely úgy maradt fenn, ahogyan azt a mester ötven évig használta. Itt egy hagyományos paraszti szobabelsőt és Vásárhely különböző kerámiáit lehet megtekinteni.

Hódmezővásárhely határában Szeged irányában látható a Kopáncsi tanyamúzeum (3). A 19. század második felében épült tanya most az 1920 körüli állapotoknak felel meg. A szemtermelő-állattartó jellegű vásárhelyi tanyatípus jellemző példája.

The town lies by the Tisza-Maros rivers and its thermal waters with their 42 °C alkaline, hydrocarbonate waters are ideal for the treatment of motor diseases and for people suffering from rheumatism. There are many fine statues in the spa.

The Town Hall was built at the end of the 19th century in eclectic style, and the Hall itself is decorated with portraits of many historical figures.

The János Tornyai Museum was initiated by Tornyai himself 100 ago. In the Museum the Tornyai memorial room shows his life and work, as well as many valuable archaeological pieces and the works of the Mártély Free Art School. The Csúcsi Pottery House has been open for thirty years in the house of potter-craftsman Sándor Vékony. The studio-workshop remains in the same condition it was when used for fifty years by the master potter himself. Here the visitor can see the traditional interior of a peasant house, and the special pottery style of Vásárhély.

On the edge of the town in the direction of Szeged is the Kopáncsi Farm Museum. The farm was built in the second half of the 19th century and its current condition reflects the way it was around 1920. It is a characteristic example of the mixed arable-animal husbandry farm of the Vásárhély area.

In der Stadt ist ein Thermalbad mit 42 °C heißem Alkali-hydrogenkarbonat haltigen Salzwasser zur Heilung von Bewegungsstörungen. Im Park des Bades stehen interessante Figuren.

Das Rathaus wurde Ende des 19. Jh. im eklektischen Stil gebaut. Im Prunksaal sind Portraits von geschichtlichen Personen.

Das János Tornyai Museum wurde vor 100 Jahren von ihm selbst gegründet. Dort kann man sein Lebenswerk und archäologische Funde, sowie die Werke der freien Kunstschule Mártély betrachten. Das Csúcsi Töpferhaus, das vor 30 Jahren eröffnet wurde befindet sich im Hause des Meisters der Volkskunst Sándor Vékony. Diese Werkstatt ist in dem Zustand, wie sie der Meister 50 Jahre lang benutzte. Dort kann man noch eine traditionelle Bauern-stube und die verschiedenen Keramiken von Vásárhely besichtigen.

An der Stadtgrenze, in Richtung Szeged ist der Gutshof Kopáncs. Der Hof ist in dem Zustand von 1920 erhalten und zeigt die typischen Einrichtungen einer Viehwirtschaft.

2

1

3

MEZŐHEGYES

Csekonics József lovaskapitány javaslatára II. József 1785-ben katonai ménesintézetet létesített itt. A Királyi Ménesintézet korának egyik legjelentősebb ménesbirtoka volt Európában. Több mint félszáz késő barokk agrártörténeti műemlék épült e helyen. Az épületek tervezését zömében Hild János végezte. A 19. század elején az ő tervei szerint emelték a diadalívet empire stílusban. Két klasszicista stílusú kaszárnya (4), valamint vörös márvány etetős vakárkádos istállók állnak az első udvaron. A középső udvaron a parancsnoksági épület és a Hild János tervezte fedett lovarda mellett látható az 1819-ben ültetett, védett platán, az ország egyik legszebb példánya. A lovarda falán a dombormű Ferenc József királynak és Kozma Ferencnek, a Francia Becsületrend tiszti keresztjével kitüntetett, kiváló lótenyésztőnek a találkozására emlékeztet. Kozma Ferenc emlékére az irodaház előtti parkban szobrot is állítottak. A napóleoni háborúk után 1815-ben ide került a császár kedvenc hátaslova, a Senior Nonius, amely a Nonius-törzs megalapítója lett. Egyik példánya 1889-ben a Párizsi Világkiállításon elnyerte a „tökéletes ló" címet. Itt tenyésztették a kiváló nóniusz hámoslovakat (1), a gidrán és az angol félvér Furioso-törzset. A Furioso és North Star angol telivér leszármazottjainak a kereszteződéséből származik a híres „Mezőhegyesi félvér". A Kocsimúzeum (2; 3) a magyar fogatsport eszközeinek, a kocsik, a szánok, lószerszámok, kocsisöltözékek kiváló gyűjteménye. Az Öregcsűrt, az ország legnagyobb cséplőházát is Hild János tervezte. A város környéke jelentős vadászterület, különösen nyulat, fácánt, őzbakot és dámszarvast lehet puskavégre kapni.

1

On the suggestion of cavalry captain József Csekonics the Emperor Joseph II established a military stud farm here in 1785. In its time the Royal Horse-breeding Institute became one of the most significant of its kind in Europe. More than fifty late Baroque agricultural buildings were erected here, most of them designed by János Hild. He also designed the Triumphal Arch in Imperial style, constructed at the beginning of the 19th century. Two Classical-style barracks and stables with blind arcades and red marble feeding areas stand in the first courtyard. The central courtyard features the administrative and commander's building, and next to the covered stables, also designed by János Hild, is a plane tree, planted in 1819 and today a protected tree, and one of the finest examples in Hungary. The relief on the stable wall shows the meeting between Emperor Franz Joseph and Ferenc Kozma, awarded the cross of the French Legion of Honour, and an outstanding horse-breeder. There is a statue to Ferenc Kozma in the park in front of the administrative block. After the Napoleonic Wars the Emperor's favourite horse, Senior Nonius, came here and sired the Nonius line. One of his descendants won the title of 'Perfect Horse' at the Paris Exhibition in 1889. Also bred here were the excellent Nonius carthorses and the Gidran and English halfblood Furioso line. From the crossing of the descendants of the Furioso and the English thoroughbred North Star the famous 'Mezőhegyes Halfblood' was produced. In the Coach Museum, there is an excellent collection of coaches, sleighs, equestrian equipment and drivers' costumes. The Öregcsűrt, Hungary's largest threshing house, was also designed by János Hild. In the surrounding area there are large hunting territories, rich in hares, pheasants, roebuck and fallow deer.

Josef II. hat 1785 auf Empfehlung des Rittmeisters József Csekonics hier eine militärische Reitanstalt gegründet. Dieses königliche Reitinstitut war das bedeutendste Europas. Mehr als 50 spätbarocke, agrargeschichtliche Gebäude wurden hier gebaut. János Hild hat die meisten geplant. Anfang des 19. Jh. wurde der Triumphbogen im Empirestil gebaut. Im Hof stehen zwei Kasernen im klassizistischen Stil und Reitställe mit Blindarkaden und Futtertrögen aus rotem Marmor. Im Innenhof war das Offizierskasino mit der überdachten Reitschule und der 1819 gepflanzten, unter Denkmalschutz stehenden, schönsten Platane Ungarns. Das Relief an der Wand des Reitstalles zeigt ein Treffen von Franz Josef mit Ferenc Kozma. Er war ein so erfolgreicher Pferdezüchter, dass er mit dem Offizierskreuz der französischen Ehrenlegion ausgezeichnet wurde. Zu seiner Erinnerung ist im Park, vor dem Bürogebäude, eine Statue aufgestellt. Nach den Napoleonischen Krieg wurde das Lieblingspferd des Kaisers „Senior Nonius" hierher gebracht und wurde so zum Stammvater der Noniuslinie. Ein Pferd dieser Zuchtreihe belegte bei der Pariser Weltausstellung den Titel" Vollkommenstes Pferd". Hier wurden die Nonius Zugpferde, die Gidrán und die englischen Furioso Halbblut Pferde gezüchtet. Das berühmte Mezőhegyes Halbblut stammt aus der Kreuzung der Furioso mit dem englischen Vollblut North Star. Das Wagenmuseum zeigt Sammlungen des ungarischen Reitsports, Kutschen, Schlitten, Zaumzeug und Reituniformen. Die „Alte Scheune", das größte Dreschhaus Ungarns wurde auch von János Hild geplant. Im Umland der Stadt liegt ein großes Jagdgebiet mit Hasen, Fasanen, Hirsch und Damwild.

2

3
LENGYEL SZÁN
4

OROSHÁZA

A Kossuth-szobrot a nagy történelmi személy halálának tizedik évfordulójára alkotta Horvay János. Az első evangélikus templom fából készült, mellette 1777-ben a tornyát építették fel. A fatemplom helyén 1786-ban emelték a mai késő barokk stílusú templomot (1). Az oltárképét és az orgona díszítményeit a 19. század negyedik évtizedében alkották.

A Szántó Kovács János Múzeum (2) anyagát a 20. század elején egy tanár kezdte gyűjteni. 1945-ben Schwarcz János kereskedő a saját házát ajánlotta fel a létesítendő múzeum céljára. A múzeum állandó kiállítása *„Nyolc nemzedék élete"* címmel a város történetét mutatja be az 1744-es újratelepüléstől napjainkig. A paraszti munka eszközei, a kézművesek termékei, a település első pecsétje, egy több mint százéves festmény a városról, az 1848–49-es szabadságharc emlékei, a két szobaberendezés, valamint Darvas Józsefnek és Féja Gézának a népi írókkal való kapcsolatát bemutató dokumentumok teszik vonzóvá a gazdag gyűjteményt. Darvas József irodalmi emlékháza az író szülőházában nyílt meg, mintegy negyedszázada.

Különleges kiállítás *„Az ásott kúttól a víztoronyig"* címmel 20 éve megnyílt Kútmúzeum (6). Rágyánszki János békéssámsoni kertész egy fél évszázada arborétumot (4) hozott itt létre. Kétezernél több fajnak hatezer változata él benne. A Rágyánszki-arborétumban sok egzotikus faj alkalmazkodott a szélsőséges kontinentális viszonyokhoz.

A várostól 5 km-re lévő Gyopárosfürdőn (5) a 19. század elejétől hasznosítják a tó természetes sziksós vizét ízületi és izombántalmak gyógyítására. A gyógyhatást fokozza két mélyfúrású kút 40–50 °C-os alkálihidrogénkarbonátos vize. A strand- és gyógyfürdő széles körű szolgáltatásait vehetik itt igénybe a vendégek. Orosháza új értéke Szent István mellszobra (3).

1

The statue of Kossuth was created by János Horvay on the 10th anniversary of the death of this great historical figure. The first Protestant Church was built of wood, and in 1777 the tower was built next to it. Today's late Baroque style church was built on the site of the wooden church in 1786. The altar pictures and the organ decoration date from the 1840's.

The collections in the János Szántó Kovács Museum were started by a teacher at the beginning of the 20th century. In 1945 the businessman János Schwarz offered his own house to house the museum. The museum's permanent collection is 'The Life of Eight Generations', illustrating the history of the town from the resettlement in 1744 to the present day. The rich collection features tools used by farm workers, craftwork, the settlement's first seal, a picture of the town from the 19th century, memorials to the War of Liberation (1848–49), two statue collections, as well as documents connected with the writers József Darvas and Gézá Féja, who described the lives of ordinary people. The birthplace of József Darvas was opened as a memorial house 25 years ago.

The 20-year old Well Museum has an interesting collection entitled 'From the Well to the Watertower'. The gardener János Rágyánszki form Békéssámson established an arboretum here 150 years ago. There are more than 6,000 varieties of trees from 2,000 different species and sub-species. In the Rágyánszki Arboretum many exotic trees have adapted themselves to the extremes of the continental climate.

The Gyopáros Spa, which is 5 kilometres from the town, has been treating people with muscle and joint problems since the beginning of the 19th century, using the lake's natural sodium carbonate rich water. The therapeutic effects are enhanced by two deep-wells which bring up 40–50 °C alkaline hydrocarbonate water. The spa and bathing area offer many services to visitors. Orosháza now has a new statue of St. István.

2

Die Kossuth-Statue wurde zum zehnten Todestag des Revolutionärs von János Horvay geschaffen. Die erste ev. Kirche war aus Holz, deren Türme 1777 gebaut wurden. An deren Stelle wurde 1786 wurde die heutige, spätbarocke Kirche gebaut. Das Altarbild und die Orgelverzierung wurden um 1840 geschaffen.

Die Funde im János Kovács Szántó Museum hatte ein Lehrer Anfang des 20. Jh. gesammelt. 1945 hat der Händler János Schwarcz sein Haus für das Museum gestiftet. Die Dauerausstellung „Das Leben der 8 Generationen" zeigt die Stadtgeschichte von 1744 bis heute. Die interessantesten Ausstellungstücke sind Gegenstände des Bauernlebens, die Waren des Händlers, der erste Stempel des Ortes, ein über 100 Jahre altes Gemälde von dem Ort, Erinnerungsstücke aus dem Freiheitskampf 1848–49, zwei Zimmereinrichtungen und Dokumente der Beziehungen von Volksschriftstellern zu József Darvas und Géza Féja. Das József Darvas Literaturgedenkhaus wurde vor 25 Jahren in seinem Geburtshaus eingerichtet.

In dem vor 20 Jahren eröffneten Brunnenmuseum ist eine interessante Technikschau der Arbeiten vom gegrabenen Brunnen bis zum Wasserturm zu sehen. Der Gärtner aus Békéssámson, János Rágyánszki hat hier vor 50 Jahren ein Arboretum gepflanzt. 2000 Arten mit 6000 Unterarten leben hier. In diesem Arboretum haben sich viele exotische Pflanzen an das kontinentale Klima angepasst.

Etwa 5km vom Ort entfernt liegt Gyopárosfürdő dessen Strandbad, sowohl durch den See mit heilkräftigem Mineralwasser, als auch durch eine heiße Quelle von 40–50 °C gespeist wird. Die neueste Errungenschaft von Orosháza ist eine Büste des Hl. Stephan.

3
1000
SZENT
ISTVÁN
2000
PAPÍR
ERŐS VÁR A MI ISTENÜNK

MÚZEUM

4

5

6

BÉKÉSCSABA

188–189

Az evangélikus Kistemplom helyén az első szlovák telepesek paticsfalú templomát vályogtemplommá építették át (3). A 18. század első harmadában oltárt vettek, orgonát hozattak, s belsejét kipadolták téglával és a nádfedelet kicserélték fazsindelyre. A templomban nyugszik Tessedik Sámuel lelkész, a tudós apja.

A 19. század elején tovább haladt a legnagyobb magyar evangélikus templom építése. Klasszicizáló, copf stílusban épült fel 1824-re két karzattal, mintegy háromezer ülőhellyel, 70 méter magas toronnyal (3).

A Belvárosi Plébániatemplomot (6) a 20. század első évtizedében építették neogótikus stílusban. A Munkácsy Mihály Múzeum (5) eredetileg közművelődési háznak készült 1914-ben. A névadó életművét, valamint a megye 18–19. századi néprajzát, flóráját és faunáját ismerheti meg itt a látogató.

A Munkácsy Mihály Emlékház (1) Munkácsy nagynénjének a 19. század közepére, klasszicista stílusban épült kúriájában nyílt meg. A Gabonamúzeum (2) egy, a 19. század első harmadában épült csabai tanyán és gazdasági épületeiben működik.

Az Árpád-fürdőt (4) az 1925-ben feltárt 74 °C-os, alkalikus, hidrogénkarbonátos gyógyvizes kút táplálja.

On the site of the Protestant Kistemplom (Small Church) the church of the first Slovak settlement of Patics village was converted to an adobe church. In the first third of the 18th century an altar was set up, an organ was acquired, the interior was fitted out in brick and the thatched roof was replaced by wooden shingles. In the church lies the pastor, Sámuel Tessedik, patron of knowledge.

At the beginning of the 19th century the construction of Hungary's largest Protestant church continued. Two galleries were built in 1824 in classicising Copf style, to provide space for up to 3000 worshippers. A 70-metre tower was also erected.

The Parish Church in the town centre was built in Neo-gothic style at the beginning of the 20th century. The Mihály Munkáscy Museum was originally built as a cultural centre in 1914. Today the museum features the life and work of Munkácsy, together with 18th–19th century folklore, flora, and fauna exhibitions.

The Mihály Munkáscy Memorial House opened in the Classical style mansion built in the middle of the 19th century by Munkácsy's grandparents. The Grain Museum is located in a Csaba farm and its agricultural buildings dating from the first third of the 19th century.

The Árpád Spa is sourced from the 74 °C alkaline, hydrocarbonate medicinal water discovered in 1925.

Die evangelische Kleine Kirche wurde am Platz der alten, aus verputzten Rebenwänden bestehenden Kirche, mit Lehmziegeln gebaut. Ende des 18. Jh wurde das Innere mit Ziegel ausgemauert, das Strohdach durch ein Holzdach ersetzt und ein neuer Altar, sowie eine Orgel aufgestellt. In der Kirche ruht der Pastor und Vater des Wissenschaftlers Samuel Tessedik.

Die größte ev. Kirche im klassizistischen Stil 1824 gebaut, mit zwei Emporen und dreitausend Sitzplätzen hat ein 70m hohen Turm.

Die Innenstadtkirche wurde im neugotischen Stil zu Anfang des 20. Jh. gebaut. Das Mihály Munkácsy Museum wurde ursprünglich 1914 als Kulturhaus gebaut. Hier können die Besucher sein Lebenswerk bewundern und die Volkskunst, Flora und Fauna des 18. und 19. Jh. kennen lernen.

Das Mihály Munkácsy Gedenkhaus wurde in dem, im klassizistischen Stil, in der Mitte des 19. Jh. gebauten Haus der Tante von Mihály eingerichtet. Das Getreidemuseum ist in dem Wirtschaftsgebäude eines Bauernhofs zu finden.

Das Árpádbad wird von der 1925 entdeckten heißen Quelle mit 74°, alkalisch-hydrogen-haltigem Wasser gespeist.

2

3

1

FÜRDŐ

MIHÁLY MÚZEUM

GYULA

A város jelképe a 15. századi gótikus vár, Közép-Európa egyetlen épen maradt téglavára (4).

Derékvárának a saroktornyát Corvin János építtette. A 16. század közepétől a török elleni végvári rendszer láncszeme lett, óolasz bástyás palánkvárrá építették át. Az ún. huszárvárat a Rákóczi-szabadságharc után lerombolták, csak a belső vár maradt meg. Belső termeiben gazdag vártörténeti kiállítás tekinthető meg. Negyven éve az udvarában a Gyulai Várszínház előadásaiban gyönyörködhet a néző. A Szent József-templom (6) 1863–66-ban épült klasszicista stílusban, romantikus elemekkel.

Szomszédságában a kastély 28 holdas parkjában feltárt 46–92 °C-os alkáli-hidrogénkarbonátos hévízkutakra alapozva nyílt meg 1959-ben a Várfürdő (1; 5). Gyógyvizével a mozgásszervi megbetegedéseket és a nőgyógyászati panaszokat orvosolják hatékonyan. Az 1833-ban épült lovardából alakították ki a fedett fürdőt. A parkban az Erkel-fa lombjai alatt komponálta Erkel Ferenc, a város szülötte néhány operájának a részletét. A híres zeneszerző, a nemzeti opera megteremtője (2) egy 18. század végén iskolának épült földszintes házban született. A házban az Erkel Ferenc Emlékmúzeumban életével, munkásságával ismerkedhetünk meg. A „Százéves cukrászda" (3) boltozott mennyezete és berendezése a 19. század közepének hangulatát idézi.

The symbol of the town is the 15th century Gothic castle, central Europe's only surviving brick castle.

János Corvin added a corner tower to the main castle, and in the 16th century it became part of the chain of fortifications built to defend the country against the Turks, being converted into a palisade fortress with Italian style bastions. The so-called Hussar Castle was demolished after the Rákóczi Wars of Independence, and only the inner section remained. In the inner rooms there is a rich collection illustrating the castle's history. For the last 40 years the castle courtyard has hosted performances by the Gyula Castle Theatre. The Church of St. Joseph was built in Classical style with Romantic elements in 1863–66.

Near the castle is the large park with its alkaline-hydrocarbon thermal waters, emerging at temperatures between 42 and 96 °C. The Castle Baths have been operating here since 1959. The waters are particularly suited for the treatment of motor diseases and gynaecological problems. The covered bath was converted from a stables built in 1833. In the park Ferenc Erkel composed parts of some of his operas under the 'Erkel Tree'. The famous composer, creator of Hungarian opera, was born in single storey house built at the end of the 18th century as a school. In the house the Ferenc Erkel Memorial Museum shows his life and work. The 'Hundred Year Inn' is famous for its atmospheric mid-nineteenth century fittings and vaulted ceiling.

Das Wahrzeichen der Stadt ist die aus dem 15. Jh. stammende, gotische Burg, die einzige erhaltene Ziegelburg Mitteleuropas. Der Eckturm wurde von János Corvin gebaut. Seit der Mitte des 16. Jh. gehörte sie zu den Grenzburgen gegen die Türken und wurde zu einer altitalienischen Plankenburg umgebaut. Die sogenannte Husarenburg wurde nach den Rákóczi Freiheitskämpfen zerstört, nur die innere Burg blieb erhalten. In den Innenräumen ist eine reichhaltige burggeschichtliche Ausstellung. Seit 40 Jahren ist im Burghof das Gyulai Várszínház mit seinen Freilichtaufführungen. Die St. Josefkirche wurde im klassizistischen Stil mit romantischen Elementen von 1863–66 gebaut.

In dem 28 ha großen Schlosspark wurde eine 46–92 °C heiße Quelle entdeckt und 1959 dafür das Burgbad gebaut. Mit dem Alkali-hydrogenkarbonat- und chloridhaltigen Heilwasser werden Rehabilitationen nach Herzinfarkten durchgeführt. Die überdachten Badebecken sind in der 1833 gebauten, ehemaligen Reithalle. Im Park, unter dem Erkelbaum, hat der berühmte Sohn der Stadt, Ferenc Erkel Teile seiner Opern komponiert. Der Komponist und Begründer der ungarischen Oper wurde im Untergeschoß einer Schule geboren. In diesem Haus ist sein Erinnerungsmuseum, in dem sein Lebenswerk ausgestellt ist. Die alte Einrichtung und die gewölbte Decke der „Százéves cukrászda" hundertjährigen Zuckerbäckerei erweckt die Stimmung der guten alten Zeit.

2

3

1

4

5

6

NÁDUDVAR

A nádudvari fekete cserép világszerte ismert. Alapanyaga a város határában kibányászott agyag, korongozás után sajátos égetési technikával feketévé válik. A Fazekas család közel három évszázada űzi az ősi fazekasmesterséget. Fazekas Lajos, a népművészet mestere csodálatos alkotó-fazekasházában ismerkedhetünk a dinasztia történetével, a régi és új feketecserép-alkotásokkal. A mester látogatóit végigvezeti a páratlan kiállításon, s utána bemutatja a korongozás művészetét.

Testvére, Fazekas Ferenc népi iparművész műhelyét is sok vendég keresi fel.

A mintegy 20 éve megnyílt Ady Endre Művelődési Központban működik a Népi Kismesterségek, Szolgáltató Mesterségek Szakiskolája. A termálfürdő kellemes környezetben várja látogatóit.

A vadászház a szállás és étkezés mellett lovaglási, vadászati, horgászati lehetőségeket és sétakocsikázást is kínál a vendégeknek.

The blackware of Nádudvar is world famous. The raw material comes from the clay that is extracted near the town, which after turning on the wheel, turns black with a special firing process. The Fazekas (lit. Potter) family have been practising the potter's art for almost 300 years. The history of this 'potter dynasty' can be seen in the house of Lajos Fazekas, the folk-art master-craftsman, together with old and new examples of the craft. The master shows visitors around the unparalleled displays and then demonstrates the techniques used to make the pots.

There are also many visitors to the craft centre of his brother Ferenc Fazekas.

The Endre Ady Cultural Centre, which opened 20 years ago, houses the Folk Art, Craft and Auxiliary Services Special School. There is also a fine spa open to the public.

The hunting lodge offers accommodation, fine meals, riding, hunting, fishing, and carriage tours for guests.

Die schwarze Keramik von Nádudvar ist weltberühmt. Der am Stadtrand abgebaute Ton wird nach dem formen, durch eine besondere Brandtechnik schwarz. Die Familie Fazekas betreibt seit dreihundert Jahre diese alte Töpferkunst. In der Töpferei des Meisters der Volkskunst Lajos Fazekas können wir die Geschichte der Dynastie kennen lernen und die alten und die modernen schwarzen Keramiken bewundern. Der Meister führt persönlich durch die Ausstellung und zeigt zum Schluss die Kunst des Töpferns. Die Werkstatt seines Bruders Ferenc ist auch ein Anziehungspunkt für Touristen.

In dem seit 20 Jahren geöffneten Kulturhaus „Endre Ady" ist eine Schule für die volkstümliche Kleinkunst. Das Thermalbad erwartet seine Besucher.

Das Jägerhaus bietet neben Speis und Trank noch Kutschenfahrten, Reiten, Angeln und Jagdveranstaltungen.